afgeschreven

De nieuwe menopauze

Met dank aan:
drs. Eveline Stadermann, medisch adviseur

En speciale dank aan alle (ervarings)deskundigen, die informatie
hebben bijgedragen en/of hun persoonlijke verhaal wilden vertellen.

Vormgeving omslag: Marlies Visser

Vormgeving binnenwerk: Bertil Merkus, Utrecht

ISBN 90 443 1179 4
NUR 863
D/2004/8899/209

Cora de Vos

De nieuwe menopauze

Opzoekboek voor de overgang
Van anticonceptie tot zelftests
(A-Z)

the house of books

Inhoud

Anticonceptie

In Nederland is 'de pil' nog steeds favoriet als anticonceptiemethode. De anticonceptiepil maskeert echter de verschijnselen van de overgang. Zolang je de pil gebruikt, merk je weinig of niets van de overgang: je hebt geen hevige of onregelmatige menstruaties, want de bloeding die met de pil wordt opgewekt, is geen echte menstruatie, maar een zogenaamde onttrekkingsbloeding. Alleen in de stopweek kun je misschien last krijgen van overgangsverschijnselen zoals opvliegers. Tot hoelang kun je met de pil doorgaan? Je zou een tijdje kunnen stoppen om te kijken of de menstruatie weer op gang komt. (Pas intussen wel andere methoden van anticonceptie toe.) Er is een FSH-test te koop. Het nadeel van zo'n test is dat het een momentopname is, en een maand later de uitslag van de test anders kan uitvallen. Het Nederlands Huisartsen Genootschap raadt daarom de FSH-test af. Veel huisartsen zullen je overigens in de jaren voor de menopauze de anticonceptiepil aanraden ter bestrijding van lichte overgangsklachten. Eén-fase anticonceptiepillen zijn ook geschikt om dóór te slikken. Je hoeft dus geen stopweek te hebben waarin je opvliegers en andere klachten zou kunnen krijgen.

Gemiddeld krijgen vrouwen in Nederland hun laatste menstruatie (menopauze) op de leeftijd van 51 jaar en enkele maanden. De leeftijd waarop je moeder en eventuele zusjes voor het laatst menstrueerden, is een indicatie voor de leeftijd waarop je zelf je laatste menstruatie kunt verwachten.

Vruchtbaarheid neemt al tien jaar voor de menopauze sterk af. De kans om op je vijftigste zwanger te worden is net zo groot als de kans dat je door de bliksem wordt getroffen.

Gebruik de pil liever niet om overgangsklachten te bestrijden als je niet meer menstrueert. Ben je eenmaal in de fase van de menopauze, dan kun je beter overstappen op de lichtere vormen van hormoontherapie, als je dat zou willen.

Zie ook: Hormonen.

Baarmoeder

De baarmoeder is het vrouwelijke orgaan bij uitstek en natuurlijk spelen ook hier oestrogenen, de vrouwelijke hormonen, een grote rol. Oestrogenen zijn van invloed op het baarmoederslijmvlies (*endometrium*); dit gaat groeien onder invloed van oestrogenen. De oestrogenen maken ook de receptoren voor progesteron aan. Als de progesteronspiegel stijgt, kan het baarmoederslijmvlies weer worden afgestoten. Vrouwen die hormoontherapie gebruiken tegen overgangsklachten krijgen niet alleen oestrogenen, maar ook progestagenen (progesteron) om het baarmoederslijmvlies tegen overmatige groei te beschermen.

Sommige vrouwen hebben last van groei van het baarmoederslijmvlies buiten de baarmoeder (*endometriose*). Zij worden soms behandeld met anti-oestrogenen om de groei te remmen. Door die anti-oestrogenen treden er vaak hevige overgangsklachten op. Vaak blijkt dat het continue gebruik van een gecombineerd oestrogeen-progesteronpreparaat (in plaats van de zogeheten GnRH-analogen) de endometriose rustig houdt.

Zie ook: Oestrogeenreceptoren.

Baarmoederhalskanker

Vrouwen van 30 tot en met 60 jaar krijgen één keer in de vijf jaar een uitnodiging voor het bevolkingsonderzoek baarmoederhalskanker. Het bevolkingsonderzoek is ingesteld om baarmoederhalskanker of de voorstadia hiervan vroegtijdig op te sporen. Juist in deze leeftijdsgroep komt baarmoederhalskanker het meest voor. Baarmoederhalskanker ontstaat meestal vrij langzaam, daarom is een uitstrijkje één keer in de vijf jaar voldoende.

De oproep voor het onderzoek komt van een screeningsorganisatie, de GGD of de huisarts. Je moet meestal zelf bellen met de huisarts (of met de praktijkassistente) om een afspraak te maken voor het uitstrijkje. Als je erbij zegt dat je dit in het kader van het bevolkingsonderzoek doet, is het uitstrijkje gratis. Bij het uitstrijkje worden met een spateltje of borsteltje cellen weggehaald bij de overgang van de vagina naar de baarmoeder (de baarmoederhals). Het uitstrijkje kan niet tijdens de menstruatie worden gemaakt – houd daarmee rekening bij het maken van de afspraak. Als je door de onregelmatige menstruatie tijdens de overgang onverhoopt toch menstrueert op de datum van het onderzoek, kun je het beste bellen om de afspraak te verzetten.

Een bevolkingsonderzoek op baarmoederhalskanker kan geen volledige garantie geven. Blijf daarom zelf alert op onderstaande signalen.

Ga naar de huisarts bij:
- hinderlijke afscheiding uit de vagina;
- bloedverlies tijdens of kort na de geslachtsgemeenschap;
- bloedverlies buiten de menstruatie;
- bloedverlies als je een jaar of langer geen menstruatie hebt gehad (en dus de menopauze bereikt hebt).

> **Internettip**
>
> Vragen over het uitstrijkje bij het bevolkingsonderzoek? Kijk eens op www.uitstrijkje.nl

Baarmoederverzakking

De baarmoeder is een orgaan dat aan de bindweefselbanden hangt. Wanneer een deel van de baarmoeder door de bekkenbodem zakt, is er sprake van een verzakking. Het is meestal niet nodig om operatief de baarmoeder te verwijderen. Vaak kunnen de bindweefselbanden (ophangbanden) van de baarmoeder wat worden ingekort. Het effect van de operatie hangt af van de kracht van het bindweefsel. Om de bekkenbodem niet te belasten, mag je na een dergelijke ingreep niet tillen.

Een operatie is niet altijd nodig. De bekkenbodem kan ook worden gesteund met een ring. De ring geeft de bekkenbodem extra stevigheid. Het voordeel is dat het dragen van een ring je een operatie en een ziekenhuisverblijf bespaart. Een ring heeft echter ook nadelen: deze kan afscheiding en irritatie veroorzaken.

Een lichte verzakking kan aanleiding geven tot incontinentie. Tegenwoordig kan met een kleine ingreep een bandje geplaatst worden. Met dit bandje, TVT (*Tension-Free Vaginal Tape*), wordt het sluitingsmechanisme van de blaasmond weer hersteld.

Zie ook: Bekkenbodem.

Babyboomers (1946-1964)

De vrouwen die tot de generatie 'babyboomers' behoren, zijn of komen in de overgang. Dat is een heel andere generatie dan die van hun moeders of oma's, die waarschijnlijk ook innerlijk en uiterlijk anders oud zal worden dan de generaties die voor de Tweede Wereldoorlog zijn geboren. Gemiddeld hebben vrouwen hun laatste menstruatie met gemiddeld 51,4 jaar en zijn zij in de jaren daarvoor in de overgang.

Om hoeveel vrouwen gaat het?

In 2004 waren er in Nederland in totaal ruim 8 miljoen vrouwen. Hiervan was het merendeel – 5,5 miljoen – in de leeftijd van 40-65 jaar. De grootste groep vrouwen in ons land is dus in de leeftijd dat ze (bijna) in de overgang is of in de postmenopauze, de periode na de laatste menstruatie. Dat betreft liefst een derde van de totale bevolking! Denk dus vooral niet dat je alleen staat met je overgangsklachten. Naarmate er meer babyboomers in de overgang komen, zal het onderwerp de komende jaren alleen nog maar meer aandacht vragen. De vrouwen die nu in de jaren rond de menopauze zijn, zullen andere eisen aan hun toekomst stellen dan hun moeders. Ze zijn mogelijk gemiddeld beter opgeleid, ze hebben vaak buitenshuis gewerkt of ze hebben nog steeds een baan, en vooral: ze stellen prijs op een goede kwaliteit van leven. Ze zijn na de Tweede Wereldoorlog geboren en het merendeel is gewend aan de hedendaagse welvaart. De meeste vrouwen van rond de 40 jaar hebben ook niet anders meegemaakt dan een vanzelfsprekende welvaart. Alleen de vrouwen boven de 50 jaar hebben als kind nog de bescheiden jaren vijftig meegemaakt, toen Nederland nog in opbouw was. Wie een 'late babyboomer' is, geboren tussen ongeveer 1955 en 1964, kent alleen de jaren van luxe en welvaart.

Vroeger zag een vrouw van 50 of 60 jaar er anders uit dan haar leeftijdgenote van nu. Ze gedroeg zich anders, kleedde zich anders en leek eigenlijk jaren ouder. Het clichébeeld van de oudere vrouw zal de komende jaren zeker moeten worden bijgesteld. Het beeld van een kromgegroeide, grijs geworden vrouw in donkere kleding (het meest vergaande cliché) zal steeds meer vervangen worden door het beeld van een vrouw die weet wat ze wil, die actief is, reist of veel gereisd heeft en kwaliteitseisen stelt aan het leven. Dat kunnen materiële en immateriële kwaliteitseisen zijn: luxe die het leven comfortabel maakt, maar ook het beginnen met een studie op latere leeftijd. Nu al zitten er vijftigers en zestigers in de collegebanken, niet omdat de studie de basis is voor een toekomstig beroep, maar puur uit hobby en interesse. De babyboomers zijn leergierig en nieuwsgierig!

De babyboomers vormen inmiddels al een dankbare markt voor adverteerders van de meest uiteenlopende producten, van sauna's tot hometrainers, van tweede huizen tot computers. Die markt zal alleen nog maar groeien en je zult steeds meer keuze krijgen uit producten, die jou als doelgroep hebben.

Grijze golf?

Of je het wilt of niet, als je nu tot de babyboomers behoort, behoor je vroeg of laat tot de zogeheten grijze golf. Dat hoeft geen schrikbeeld te zijn: de aanstormende grijze golf is actief, behoorlijk opgeleid en rede- lijk welgesteld. Grijs is deze groep al lang niet meer, vaak niet van haren, maar evenmin 'grijs' in de zin van grauw en kleurloos. Als je gezond bent en dat zo goed mogelijk probeert te blijven, kun je een goed leven leiden.

De term 'grijze golf' klinkt menigeen niet erg sympathiek in de oren – het doet te veel denken aan busladingen vrouwen met grijze perma- nentjes in dezelfde beige regenjassen. Bovendien is het een term die associaties oproept met een saaie toekomst in het verzorgingshuis, een woonvorm die overigens slechts voor een bescheiden percentage van de huidige 65-plussers geldt.

Dat alles is een beeld uit het verleden – de toekomstige grijze golf is dankzij alle kleurcrèmes roodharig, middelblond of kastanjebruin, al dan niet verlevendigd met 'high-lights'. Of jawel, gewoon grijs, maar in ieder geval veelkleurig, Die veelkleurigheid geldt niet alleen voor de haren. Alleen al door de veranderde samenstelling van de bevolking is de volgende grijze golf geen eenheidsworst – Nederland kent inmiddels vele nationaliteiten.

Als de term 'grijze golf' je als maatschappelijke term benauwt, kun je ook eens aan de 'groene golf' denken. In termen van de statistiek bestaat er namelijk naast de grijze golf ook een groene golf: dat is de groep jongeren die geen deel uitmaakt van het arbeidsproces. De 'druk' van 65-plussers op de werkende bevolking wordt ook wel de 'grijze druk' genoemd. In 2004 is de grijze druk circa 22 procent, dat wil zeggen dat er 22 65-plussers zijn op elke 100 potentiële arbeidskrachten. Na 2010 zal die 'grijze druk' toenemen: de eerste babyboomers worden dan 65 jaar.

Rond 2020 zal de grijze druk op het hoogtepunt zijn, circa 43 procent, om dan weer te dalen tot 40 procent.

Die groene golf, de groep kinderen en jongeren onder de 20 jaar, drukt nu twee keer zo zwaar op het werkende deel van de bevolking: 40 tegen 22 procent. Zelfs als de grijze golf rond 2020 'piekt' met een geschatte 43 procent, is dit nauwelijks meer dan de 'groene druk', die de laatste tien jaar rond de 40 procent schommelt en naar verwachting ook in de toekomst stabiel zal blijven.

Als je moeite hebt met de term 'grijze golf' denk je maar aan de statistieken; de huidige 'grijze golf' drukt nu slechts voor de helft van de 'groene golf' op de werkende bevolking: 22 tegen circa 40 procent. En zelfs bij de geschatte 'vergrijzingspiek' in 2020 zal de 'groene druk' ongeveer even groot zijn.

(Bron cijfers: CBS)

Bekkenbodem

In het bekken van de vrouw liggen de blaas en de plasbuis, de baarmoeder, de vagina en de darmen. Deze steunen allemaal (al dan niet rechtstreeks) op de bekkenbodem. De bekkenbodem kan verzwakt zijn of juist te gespannen. In beide gevallen ontstaan bekkenbodemproblemen, zoals urineverlies, moeite met uitplassen, pijn bij het vrijen. Bekkenbodemproblemen kunnen ontstaan door jarenlang verkeerd gedrag bij het plassen of bij de stoelgang. Ook zwaar lichamelijk werk of bevallingen kunnen de bekkenbodem beschadigen. Daarbij komt dat de leeftijd een woordje gaat meespreken: de elasticiteit van het steunweefsel rond de bekkenbodemspieren wordt minder. Oestrogenen zijn mede verantwoordelijk voor soepele weefsels. Daarom treden bekkenbodemproblemen vaak in of na de overgang op, als de oestrogeenspiegel laag is.

Bekkenbodemproblemen zijn op zich geen typische overgangsklachten zoals opvliegers of nachtzweten, maar ze kunnen er wel mee samenvallen. Bekkenbodemproblemen kunnen in het dagelijkse leven erg belemmerend werken. Heel vaak moeten plassen (in geval van een overactieve blaas) kan bijna net zo vervelend of gênant zijn als onwillekeurig urineverlies. Sommige vrouwen kunnen hun uitstapjes alleen nog maar plannen rond de mogelijkheid om onderweg 'tig' keer naar het toilet te gaan. Een bezoek aan het theater kan hierdoor bijvoorbeeld een probleem worden.

Veel problemen kunnen verholpen worden, vaak met speciale bekkenbodemfysiotherapie. Het is niet nodig om met klachten, die de kwaliteit van vooral je sociale leven ernstig kunnen aantasten, thuis te blijven zitten. Er zijn veel mogelijkheden om er wat aan te doen, van simpele oefeningen tot soms een kleine chirurgische ingreep.

Cijfers op een rijtje

Vrouwen tussen 20 en 75 jaar hebben vaak bekkenbodemproblemen. Deze getallen geven een indruk van de diverse klachten:

- 52 procent heeft last van urineverlies
- 29 procent kampt met een overactieve blaas (tientallen keren per dag moeten plassen)
- 30 procent worstelt met een moeizame stoelgang
- 17 procent heeft moeite met uitplassen
- 8 procent lijdt aan verlies van ontlasting

(Bron: proefschrift dr. C.H. van der Vaart, Universitair Medisch Centrum Utrecht, 2001)

Urineverlies is de bekendste klacht; veel vrouwen krijgen er ooit last van.

Er zijn veel middelen te koop om het urineverlies op te vangen. Opvangen van de urine en geurtjes voorkomen (of maskeren) is een manier om ermee om te gaan, maar geen echte oplossing. Er zijn overigens wel heel goede producten te koop, die net als maandverband steeds dunner zijn geworden.

Onderzoek naar het functioneren van de blaas (*urodynamisch onderzoek*) kan bijdragen aan de juiste aanpak en een meer structurele oplossing. Ook kan met een kijkonderzoek (*cytoscopie*) in de blaas worden gekeken om eventuele afwijkingen op te sporen. Vaak is gespecialiseerde bekkenbodemfysiotherapie de juiste behandeling, soms aangevuld met medicijnen.

Als fysiotherapie niet helpt, zijn andere behandelingen mogelijk. Bij urineverlies kan een bandje onder de plasbuis helpen. Vrouwen die last hebben van urineverlies bij hoesten of tillen, ervaren dat de plasbuis bij deze handelingen dichtgedrukt wordt op het bandje, zodat ze geen urine verliezen. Het bandje zorgt voor een stevige onderlaag voor de plasbuis. Het bandje wordt ingebracht onder plaatselijke verdoving. Tijdens de ingreep wordt gevraagd om te hoesten, zodat de arts meteen kan controleren of de plasbuis inderdaad bij druk goed wordt afgesloten. Deze ingreep kan meestal in een dagbehandeling worden uitgevoerd, zodat je weer snel naar huis kunt. Deze tapeprocedure is effectief bij stressincontinentie, het ongewild verliezen van urine door een niet goed werkend afsluitmechanisme van de plasbuis. Er zijn verschillende methoden: bij de *tension-free vaginal tape* wordt het steunbandje achter het schaambeen geplaatst. Een andere methode, de Uratape, is ook geschikt is voor mensen die al eerder een buikoperatie hebben gehad en eventueel littekenweefsel hebben.

> **Tip**
>
> De Stichting Bekkenbodempatiënten heeft speciaal voor mensen met blaas- of plasklachten een gidsje gemaakt met de plattegronden van tien grote steden en de daar toegankelijke toiletten (in bijvoorbeeld warenhuizen). Handig bij het winkelen of een dagje uit. Het gidsje *Kleine kamers in grote steden* kan worden aangevraagd bij Pfizer BV, antwoordnummer 808, 2900 WB Capelle a/d IJssel.

Overactieve blaas

Wanneer is een blaas overactief? Gemiddeld gaat men uit van zeven keer plassen per dag, vaker moeten plassen wordt beschouwd als een symptoom van een overactieve blaas. Ook als je meer dan twee keer 's nachts het bed uit moet kan dat een teken van een overactieve blaas zijn. De oorzaak hiervan kan veelal worden achterhaald door het bijhouden van een plasdagboekje, in combinatie met medisch onderzoek: functieonderzoek van de blaas (urodynamisch onderzoek) en/of cytoscopie (kijken in de blaas). Meestal bestaat de behandeling uit bekkenbodemfysiotherapie (blaastraining) en medicijnen. Bij dit probleem is een operatie zelden nodig.

Niet doen: stippeltjes plassen

Stippeltjes plassen, het plassen steeds even onderbreken, is een oefening die vroeger wel eens werd aangeraden om de bekkenbodemspier te trainen. Deze oefening wordt tegenwoordig afgeraden. Als je het plassen steeds onderbreekt, kan de bekkenbodemspier niet volledig ontspannen.

Volledige ontspanning van deze spier is nodig om alle urine goed kwijt te raken. Door stippeltjes plassen kan er ook steeds wat urine achterblijven, doordat je niet goed uitplast. Hierdoor kan blaasontsteking ontstaan.

Bekkenbodemfysiotherapie

Door middel van bekkenbodemfysiotherapie kun je je bewust worden van de spieractiviteit, vooral van de bekkenbodemspier. Informatie over bekkenbodemfysiotherapie is te verkrijgen bij de Nederlandse Vereniging voor Fysiotherapie bij Bekkenbodemklachten (NVFB, zie de adreslijst). Adressen van fysiotherapeuten die gespecialiseerd zijn in de behandeling van mensen met problemen aan de bekkenbodem zijn onder meer verkrijgbaar bij deze vereniging. Vaak zijn negen behandelingen al voldoende om (grotendeels) van het probleem af te komen. Verkeerd 'bekkenbodemgedrag' kan met gespecialiseerde fysiotherapie goed worden verholpen.

Bij Alant Vrouw, een medisch centrum voor bekkenbodem en menopauze, kunnen vrouwen zowel onderzocht als behandeld worden. Specialisten en behandelaars werken er samen. Sanne, fysiotherapeute werkzaam bij Alant Vrouw, vertelt: 'Binnen de behandelingen neemt bewustwording van de spieractiviteit een belangrijke plaats in. Je leert bijvoorbeeld hoe het voelt als de bekkenbodemspier gespannen en ontspannen is. En welke spieren en hoeveel kracht je bij bepaalde bewegingen gebruikt. De spieractiviteit kan met moderne apparatuur zichtbaar worden gemaakt. Cliënten zien zelf hoe ze vooruitgaan, wat stimulerend werkt. Een betere beheersing van de bekkenbodemspier kan de overlast van de bekkenbodemklachten in het dagelijkse leven sterk beperken.'

Tip

Ook fabrikanten van incontinentiemateriaal doen veel aan voorlichting. Op de website van Attends vind je een aantal oefeningen voor de bekkenbodemspieren. Als je deze oefeningen langdurig dagelijks doet – je moet het echt een aantal maanden volhouden – heb je kans dat het ongewenste urineverlies minder wordt of in het beste geval zelfs stopt.
Zie: http://www.attends.nl.

Alant Vrouw organiseert ook cursussen met oefeningen voor de bekkenbodemspieren. De cursussen kunnen helpen de discipline op te brengen om te blijven oefenen, nadat je de oefeningen van een fysiotherapeute hebt geleerd. Oefeningen om de bekkenbodemspieren te versterken hebben namelijk alleen zin als je ze consequent blijft doen, anders kunnen oude problemen opnieuw opspelen. Als na verloop van tijd de motivatie minder wordt, kan een cursus van tien lessen een oplossing zijn. Bij deze lessen oefen je samen met andere vrouwen in een ontspannen sfeer en kun je gewoon gymkleren dragen.

Zie ook: Urogenitale stelsel.

Bewegen

Rust roest, en als je wat ouder wordt moet je wel meer gaan bewegen om in conditie te blijven. Ook als je altijd de auto hebt gebruikt om naar de dichtstbijzijnde brievenbus te gaan, zul je er nu aan moeten geloven: je zult vaker moeten gaan lopen of fietsen om fit te blijven. Bewegen is in de eerste plaats goed voor je conditie: denk aan zaken als uithoudingsvermogen, snelheid, kracht, lenigheid en coördinatie. Dat zijn al een heleboel redenen. Bij meer bewegen gaat je cholesterolgehalte omlaag en worden je bloeddruk, glucose- en insulinespiegel stabiel. Als je beweegt doe je aan preventie: denk aan de preventie van hart- en vaatziekten, diabetes type 2 (ook wel ouderdomssuikerziekte genoemd), botontkalking en overgewicht. Ook wordt bewegen in diverse studies genoemd vanwege het gunstige effect op het voorkomen van zeer ernstige ziekten als een beroerte, darmkanker en borstkanker.

Bewegen is bovendien goed voor de mentale gesteldheid. Ook depressieve mensen hebben baat bij bewegen; door te bewegen gaan de hersenen niet alleen een soort natuurlijke pijnstillers vormen, maar ook stoffen die van invloed zijn op het geluksgevoel.

Bewegen lijkt tegenwoordig wel goed voor alles: er komen dan ook steeds meer onderzoeksresultaten die de positieve gezondheidsaspecten van voldoende bewegen benadrukken. Bovendien kan bewegen door het preventieve effect de kosten van de gezondheidszorg flink drukken. De overheid doet dan ook alles om de Nederlandse bevolking meer aan het bewegen te krijgen. Dat schijnt hard nodig te zijn: bijna de helft van de bevolking boven de 16 jaar haalt de normen niet. Er zijn twee normen voor voldoende beweging. Volgens de Nederlandse Norm Gezond Bewegen moet je vijf dagen per week een halfuur matig intensief bewegen (bijvoorbeeld fietsen, tuinieren of wandelen). Volgens de Fitnorm moet je ten minste drie keer per week 20 minuten inspannend bewegen (bijvoorbeeld joggen).

Als je niet zo dol bent op inspanning en in de overgang al genoeg transpireert zonder dat je sport, kun je kiezen voor dagelijks een half-uur matig intensief bewegen. Dat haal je al door eens een boodschap met de fiets te doen in plaats van met de auto, vaker de trap te nemen of in de tuin te werken. De Nederlandse Norm Gezond Bewegen is vriendelijk voor mensen die liever niet te inspannend of lang achter elkaar in de weer zijn: zes keer vijf minuten per dag bewegen is name-lijk even goed als een halfuur achter elkaar. Als je het maar consequent doet en lichaamsbeweging tot een dagelijks onderdeel maakt van je leefwijze.

Voor vrouwen in de overgang kan meer bewegen extra positieve effec-ten hebben. Omdat je gevoeliger wordt voor botontkalking is het belangrijk dat je beweegt op een manier die je botten belast. Joggen of stevig wandelen voldoet aan die eisen – je draagt hierbij je eigen lichaamsgewicht en dat is goed voor de botten. Ook bij tennis, schaat-sen of rolschaatsen, dansen en touwtjespringen draag je je eigen gewicht.

Bewegen kan er ook voor zorgen dat je beter slaapt. Als je licht depres-sief bent door overgangsklachten, kun je je na het bewegen lekkerder voelen. Je stressbestendigheid neemt toe. Behalve de gezondheids-aspecten, die voor iedereen tellen – meer zuurstof in het bloed en soe-pele gewrichten –, zijn het juist deze voordelen van bewegen die je in of na de overgang uit je luie stoel doen komen.

Zie ook: Fitness.

Blaasontsteking

Vrouwen krijgen gemakkelijker een blaasontsteking dan mannen, omdat de urinebuis korter is dan bij mannen en omdat deze dicht bij de anus en de vagina ligt. Hierdoor kunnen schadelijke bacteriën gemakkelijk binnendringen. Een blaasontsteking is een ontsteking van het slijmvlies in de urinebuis en in de blaas.

Een blaasontsteking kenmerkt zich meestal door een brandend gevoel tijdens het plassen en het steeds kleine beetjes plassen. Soms kan ook lage rugpijn op een blaasontsteking duiden, of een zeurend gevoel in de onderbuik. Andere verschijnselen zijn troebele of vies ruikende urine, of bloedspoortjes in de urine. De huisarts kan snel uitsluitsel geven door onderzoek van een beetje ochtendurine. Een verhoogd aantal witte bloedlichaampjes wijst op een blaasontsteking. Meestal zul je een antibioticumkuur krijgen. Als de blaasontsteking vaak terugkeert (*recidiveert*), krijg je zowel antibiotica als oestrogeen voorgeschreven. Oestrogeen kan de blaasuitgang verstevigen en je minder gevoelig maken voor bacteriën die de urinebuis binnendringen. Het (herhaaldelijk) gebruik van antibiotica heeft wel een nadeel: het kan leiden tot een vaginale schimmelinfectie.

Soms komen blaasontstekingen steeds weer terug omdat je niet goed uitplast. Als de hoeveelheid urine die in de blaas achterblijft naar verhouding vrij groot is, wordt ook wel eens zelfkatheterisatie toegepast. Hierbij leer je de blaas goed te legen.

Gevoeliger voor blaasontsteking

Tijdens en na de overgang ben je gevoelig voor het krijgen van een blaasontsteking door het verminderde oestrogeengehalte. Het slijmvlies van de vagina wordt dunner en de zuurgraad van de vaginale afscheiding verandert. Normaal houdt de zuurgraad van de vagina de bacteriën die blaasontsteking veroorzaken wel in toom, maar juist in deze levensfase kunnen deze bacteriën gemakkelijker toeslaan.

Oestrogeen en urogenitale klachten

Waarom kun je juist tijdens de overgang en na de menopauze last krijgen van de vagina, de blaas en de urinewegen? Op jongere leeftijd wordt het urogenitale stelsel (de geslachtsorganen en de urinewegen worden als één systeem beschouwd) beschermd door oestrogeen. Rond en op deze organen zitten talloze oestrogeenreceptoren, een soort ontvangertjes op de cellen die ervoor zorgen dat het oestrogeen gebonden wordt. Als er voldoende oestrogeen is, kunnen de receptoren hun werk doen en het urogenitale stelsel beschermen tegen infecties. Is er te weinig oestrogeen, dan worden de slijmvliezen dunner (atrofie) en wordt het urogenitale stelsel vatbaarder voor infecties. Zie ook: Oestrogeenreceptoren.

Maatregelen tegen blaasontsteking

- Voorkom dat schadelijke bacteriën de urinebuis binnendringen door altijd (na ontlasting) van voren naar achteren te vegen. Doe je het andersom, dan kunnen bacteriën uit de darm heel gemakkelijk de urinebuis bereiken.
- Een hoge zuurgraad van de urine bestrijdt bacteriën. De urine wordt zuur als je extra vitamine c neemt. Je kunt ook water met vers citroensap drinken.
- Vele vrouwen hebben goede ervaringen met cranberrysap (of cranberrysupplementen).
- Ga op tijd naar het toilet; houd de urine niet te lang op. En plas vooral goed uit, zodat er niet steeds kleine beetjes in de blaas achterblijven.
- Plas altijd na het vrijen. Hierdoor verdwijnen ook eventuele schadelijke bacteriën.
- Vermijd zeep bij het wassen van de vagina en omgeving. Was alleen de buitenkant (de vulva) met bij voorkeur ongeparfumeerde of hypoallergene zeep. Gebruik geen zeep tussen de schaamlippen maar alleen water.

Cranberrysap helpt echt!

Uit een onderzoek onder 150 vrouwelijke studenten en stafleden van de universiteit van Oulu in Finland bleek dat cranberrysap een positief effect heeft op het voorkomen van terugkerende (recidiverende) urineweginfecties. De proefpersonen dronken dagelijks 50 milliliter cranberrysap. Mogelijk zou het gebruik van de zogeheten vaccinumbessen (cranberry's en ook bosbessen of lingonberry's) kunnen voorkomen dat middelen als antibiotica of andere medicijnen bij terugkerende urineweginfecties worden ingezet.

(Bron: Geneesmiddelenbulletin november 2001, jaargang 35, nummer 11)

Water drinken

Sterk geconcentreerde urine irriteert de slijmvliezen van de blaas en de urinebuis meer dan verdunde urine. Alleen al daarom is het belangrijk om voldoende water te drinken, zodat de urine wordt verdund. Stop een halveliterflesje (mineraal)water in je tas als je bijvoorbeeld naar een vergadering moet waar koffie of thee de meest geschonken dranken zijn. Dit flesje kun je in de loop van de dag gemakkelijk weer vullen met kraanwater. Tijdens een aanval van blaasontsteking zul je vanzelf meer drinken om de blaas goed door te spoelen. Maar drink ook voldoende buiten dergelijke aanvallen om. Elke dag verliezen we anderhalf tot twee liter vocht door plassen, de ontlasting, transpiratie en adem. Dit moet worden aangevuld.

Zie ook: Bekkenbodem; Urogenitale stelsel.

Borsten

Tijdens de overgang kunnen de borsten veranderen omdat er minder oestrogeen circuleert. Oestrogenen bevorderen de groei van het borstklierweefsel. Wanneer er weinig of geen oestrogeen is, verminderen het klierweefsel en het collageen. Hierdoor verliezen de borsten hun stevigheid en kunnen ze slap gaan hangen. Juist dan is een goede beha prettig – neem vooral de tijd om te passen en koop er niet zomaar een op de bonnefooi. Verstel de schouderbandjes regelmatig, omdat deze uitgerekt kunnen raken of verschuiven. Afzakkende schouderbanden en een slecht passende beha kunnen mede zorgen voor een slechte houding, zeker als je veel zittend werk doet achter de computer.
Als de huid van de borsten droog is, kun je deze verzorgen met een bodylotion of een crème. Vermijd producten met alcohol, omdat die een uitdrogende werking kunnen hebben.

Borstonderzoek

In Nederland krijgen alle vrouwen tussen de 50 en 75 jaar elke twee jaar een oproep voor een bevolkingsonderzoek op borstkanker. Dit onderzoek kan bijdragen tot een vroege opsporing van borstkanker. Met röntgenfoto's van de borsten (mammografie) kunnen afwijkingen zichtbaar worden die met het betasten van de borst (nog) niet op te sporen zijn. Als borstkanker in een vroeg stadium wordt ontdekt, is de kans op genezing groter. Bovendien kan dan vaker een borstsparende behandeling worden toegepast.
De meeste vrouwen vinden het borstonderzoek onaangenaam, maar wel noodzakelijk omdat de kans op borstkanker vrij groot is. (Jaarlijks wordt er in Nederland bij ruim 10.000 vrouwen borstkanker vastgesteld.) Bij het onderzoek wordt de borst door de laborante op een steunplaat gelegd en daarna aangedrukt met een andere plaat. Dit kan gevoelig of zelfs pijnlijk zijn. Er worden een of meer foto's van elke borst gemaakt. Het aantal foto's is afhankelijk van de omvang van de

borst en van de hoeveelheid klierweefsel in de borsten. Als je een borstprothese hebt, zijn er ook meer foto's nodig.

Er kan ook een nadeel kleven aan het meedoen aan bevolkingsonderzoeken: soms worden op de röntgenfoto's afwijkingen gezien en wordt er aansluitend onderzoek gedaan, terwijl er geen sprake is van een kwaadaardig gezwel. Een dergelijke zogeheten vals-positieve uitslag veroorzaakt, behalve onnodige behandelingen zoals puncties of zelfs een operatie, ook veel onrust.

Aan de andere kant kunnen afwijkingen onopgemerkt blijven. Er is dan een zogeheten vals-negatieve uitslag. Bij een mammografie in het ziekenhuis is de kans op een vals-negatieve uitslag kleiner, omdat de borsten in meer dan één richting worden gefotografeerd. Bij het bevolkingsonderzoek fotografeert men in één richting.

Soms is op een röntgenfoto een minimale afwijking te zien die goedaardig lijkt, maar in een later stadium toch borstkanker blijkt te zijn.

De foto's die bij het bevolkingsonderzoek worden gemaakt, worden beoordeeld door twee radiologen. Dit verkleint de kans op onnodige alarmeringen of het niet opmerken van afwijkingen.

Iedere vrouw is uiteraard vrij om zelf te beslissen of ze meedoet aan het bevolkingsonderzoek. Het onderzoek is gratis en op basis van vrijwilligheid.

De uitslag krijg je per brief thuis gestuurd.

Deelname aan het bevolkingsonderzoek is niet nodig als je onder controle of behandeling bent voor klachten aan de borsten of als er de laatste zes maanden al röntgenfoto's van de borsten zijn gemaakt.

Borstonderzoek en HST

Het gebruik van hormonen (hormoonsuppletietherapie of kortweg HST) tijdens de overgang en/of na de menopauze maakt de beoordeling van een mammografie soms wat lastiger. Oestrogenen stimuleren namelijk het borstweefsel, zodat het dichter, compacter wordt. Deze verandering in de *mammografische densiteit* (de dichtheid van het borstweefsel) is bij een deel van de vrouwen die HST gebruiken al na enkele weken zichtbaar. Een mammografie kan dan moeilijker te beoordelen zijn – het risico bestaat dat eventuele nieuwvormingen niet worden gezien, zodat eventuele borstkanker mogelijk laat of niet wordt opgemerkt.

Overigens is de dichtheid van het borstweefsel afhankelijk van verschillende factoren. De dichtheid varieert gedurende een heel vrouwenleven. De dichtheid neemt af na zwangerschappen en perioden van borstvoeding. Het borstkankerrisico lijkt iets verhoogd bij een compacte dichtheid (zonder gebruik van hormonen). Mogelijk is dit een van de redenen dat vrouwen die geen zwangerschap(pen) hebben meegemaakt een iets groter risico van borstkanker hebben.
Bij gebruik van hormonen ontstaat een verhoging van de dichtheid, die echter omkeerbaar is. Na het stoppen met de hormoontherapie, verdwijnt deze dichtheid binnen twee weken. Daarom wordt ook wel aangeraden om voor het maken van een mammografie te stoppen met de hormoonsuppletietherapie.
Of en hoe de verschillende soorten hormoontherapie van invloed zijn op de dichtheid van het borstweefsel hangt af van de dosering (hoe meer, hoe dichter) en het type progestageen. Als de progestagene stof een testosteron-afgeleide is, is er meer verdichting dan wanneer deze een progesteron afgeleide is. Sommige fabrikanten noemen hun middelen 'weefselspecifiek', een term die aangeeft dat er geen veranderingen in het borstweefsel zullen optreden. Dit wordt onder meer gezegd van de stof tibolon (Livial).
Het blijft echter moeilijk om de mate van verdichting door de verschillende hormoonpreparaten in kaart te brengen. Daarvoor zouden duizenden vrouwen regelmatig een mammografie moeten ondergaan. Bovendien zouden allerlei andere factoren, zoals gewicht, alcoholgebruik, aantal kinderen en aantal maanden borstvoeding geven, moeten worden meegewogen in de analyses. Dat is een onhaalbaar onderzoek, alleen al omdat het niet ethisch is vrouwen zo vaak een mammografie te laten ondergaan.

Ook al doe je elke twee jaar trouw mee met het bevolkingsonderzoek op borstkanker, het blijft zaak om zelf attent te zijn op veranderingen in de borsten. Je kunt de borsten zelf onderzoeken door elke borst in denkbeeldige parten te verdelen en deze met de vlakke hand af te tasten op onregelmatigheden. Druk hierbij vooral niet met de nagels (dan kun je niet goed voelen), maar houd de vingers vlak.

Signalen om naar de huisarts te gaan:
- een knobbeltje in de borst
- een deukje of kuiltje in de huid van de borst
- een plaatselijk verdikte huid
- een tepel die sinds kort naar binnen trekt (sommige vrouwen hebben altijd ingetrokken tepels – dit is dan uiteraard geen alarmsignaal)
- bloederig vocht uit de tepel
- veranderingen van de tepel

Botontkalking

Normaal wordt er tot ongeveer de leeftijd van 35 jaar evenveel bot aangemaakt als afgebroken. Daarna wordt de botdichtheid geleidelijk minder. In de jaren na de menopauze neemt de botdichtheid door het tekort aan oestrogenen sneller af. Oestrogenen zijn belangrijk voor de botstofwisseling. Bot is levend weefsel: er wordt steeds bot aange-maakt (dit doen de *osteoblasten*) en afgebroken (dit doen de *osteo-clasten*). Oestrogenen stimuleren de botaanmaak. Als de hoeveelheid oestrogenen vermindert, neemt de botontkalking toe. Vooral na de menopauze gaat de botafbraak snel. Vrouwen hebben daarom na de menopauze een grote kans op botbreuken, vooral van de pols, de heup en de wervels.

Als de botdichtheid beneden een bepaalde grens komt, spreekt men van osteoporose. Van botontkalking merk je helemaal niets. Pas als je iets breekt omdat je botten broos zijn geworden, merk je het en kun je alleen maar erger voorkomen.

Ook mannen kunnen last krijgen van osteoporose, maar bij mannen verloopt het proces meestal geleidelijker. Het aantal vrouwen dat op latere leeftijd te maken krijgt met botbreuken is dan ook veel groter dan het aantal mannen. Vooral de heupfracturen bij vrouwen zijn berucht, omdat ze meestal het einde inluiden van zelfstandig wonen en vaak leiden tot complicaties.

Sommige vrouwen komen in aanmerking voor een risico-inschatting door middel van een botdichtheidsmeting (DEXA-meting). De huisarts kan je verwijzen; als je denkt dat je risico loopt, kun je om zo'n meting vragen. In het lijstje met risicogroepen zie je snel of je extra risico loopt.

Botontkalking is eigenlijk een verkeerde vertaling van osteoporose. Bij osteoporose gaat het om te weinig botmassa, om poreuze botten door de afname van de botmineraaldichtheid. De botten hebben niet min-der kalk, maar ze worden brozer en kwetsbaarder. Extra kalk (calcium)

Tip

Op de website van de osteoporose-
stichting vind je tientallen calciumrijke
recepten.
Zie www.osteoporosestichting.nl.

helpt niet (meer) om de botdichtheid te verbeteren, eventueel wel om
deze te handhaven. Wel kan extra
kalk vóór de menopauze zorgen
voor sterkere botten op latere leeftijd. Maar wie pas na de menopauze
begint met extra kalk, is eigenlijk te laat.

Extra calcium en vitamine D – vitamine D zorgt ervoor dat het calcium
uit de voeding beter wordt opgenomen – helpen wel tegen een bepaalde vorm van botontkalking, maar niet tegen osteoporose (poreuze
botten door minder botmassa).

Gewichtdragende lichaamsbeweging

Beweging kan de botmassa wel doen toenemen. Vooral lopen en joggen zijn goed voor de botten, omdat daarbij het lichaamsgewicht op
de botten drukt. Dat geldt voor veel sporten of lichaamsbeweging
waarbij je een verticale houding aanneemt en je dus je eigen gewicht
moet dragen: tennissen, dansen, touwtjespringen. Ook schaatsen of
rolschaatsen (skaten) is een gewichtdragende beweging; het is echter
een sport met een vrij hoog risico van blessures. Het is niet ondenk-
baar dat je bij deze sport een pols of enkel breekt, terwijl je juist oefent
voor gezonde botten. Zorg in ieder geval voor pols- en kniebescher-
mers.

Roeien en fietsen doen weer wat minder voor de botten dan de hiervoor genoemde beweging. Zwemmen is op zich een gezonde vorm van
lichaamsbeweging en heerlijk voor je algemene gevoel van welbevinden, maar het doet weinig voor je botten. Wie zwemt, is immers lichter, terwijl bij osteoporose juist aan lichaamsbeweging moet worden
gedaan waarbij de botten worden belast met het gewicht van het
lichaam.

Risicogroepen osteoporose:

- Vrouwen, na de menopauze, vooral bij een vroege overgang. Vijf tot
  zeven jaar na de menopauze treedt er een verlies op van 20 procent

van de botmineraaldichtheid.

- Vrouwen die op jonge leeftijd (te) intensief hebben gesport: bij hen kan vervroegd osteoporose optreden.
- Vrouwen (en ook mannen) die aan anorexia nervosa hebben geleden (dit verstoort de hormoonhuishouding).
- Volwassenen met een erfelijk bepaalde slechte vitamine D-productie.
- Volwassenen die veel roken en veel alcohol drinken.
- Volwassenen die langdurig bedrust hebben moeten houden.
- Volwassenen die slecht eten en gebrek aan calcium hebben.
- Volwassenen die te weinig buiten komen en daardoor te weinig vitamine D door zonlicht produceren.
- Na langdurig gebruik van corticosteroïden (bij de ziekte van Crohn bijvoorbeeld).

Het zijn vooral de erfelijke factoren die bepalen of je kans loopt op osteoporose. Als er botontkalking in je familie voorkomt, is het verstandig om met je huisarts te overleggen. Mogelijk kom je in aanmerking voor een botdichtheidsmeting. Er zijn veel medicijnen tegen botontkalking. Soms zijn nieuwe middelen met veel tamtam (bijvoorbeeld een dure publiciteitscampagne) gelanceerd, maar blijken deze na enkele jaren toch niet aan de verwachtingen te voldoen. Inzichten en richtlijnen veranderen nogal eens.

Zoals gezegd: oestrogenen stimuleren de botaanmaak. Het voorschrijven van hormonen om botontkalking tegen te gaan wordt in Nederland ontraden door het Nederlands Huisartsen Genootschap. Hormoonsuppletie is volgens de richtlijnen voor huisartsen bij voorkeur bedoeld tegen overgangsklachten.

Overigens denken de gynaecologen hier iets anders over: als een vrouw een verhoogd osteoporoserisico heeft én overgangsklachten, dan is HST de eerste keus. Heeft een vrouw geen overgangsklachten, dan kunnen eerst bisfosfonaten geprobeerd worden. Worden deze slecht verdragen, dan valt de keuze weer op HST.

Hormoontherapie kan een gunstige dubbelwerking hebben als je al last hebt van overgangsklachten: de medicijnen kunnen de klachten verminderen en je bent tegelijkertijd beschermd tegen botontkalking. Wanneer er geen overgangsklachten zijn, worden andere medicijnen voorgeschreven: calcitonine, bisfosfonaten of SERM's.

Calcitonine is een natuurlijk hormoon dat in de schildklier wordt gevormd. Het kan via de neus worden toegediend, maar het kan ook worden geïnjecteerd.

Bisfosfonaten zijn geneesmiddelen die de botafbraak remmen, omdat zij de absorptie van het bot door de osteoclasten remmen.

Bisfosfonaten worden voor ten hoogste drie jaar voorgeschreven. Bij langdurig gebruik kunnen er vervelende bijwerkingen optreden. Deze middelen moeten op de nuchtere maag worden ingenomen.

SERM's of Selectieve Oestrogeen Receptor Modulatoren zijn oestrogeenachtige stoffen die op bepaalde oestrogeenreceptoren werken: de alfa-, bèta- of gammareceptoren. De verhouding van deze receptoren kan per weefsel en per persoon anders zijn. Door deze eigenschap zijn SERM's wel van invloed op het botweefsel, maar niet op het borstklierweefsel. Ze vormen daardoor geen extra risico voor het ontstaan van borstkanker. Deze middelen zijn oorspronkelijk ontwikkeld voor de behandeling van hormoongevoelige kanker. In Nederland is het middel raloxifene (merknaam Evista) verkrijgbaar voor de preventie van osteoporose. SERM's zijn niet bedoeld voor de behandeling van overgangsklachten. Een van hun bijwerkingen is dat opvliegers kunnen verergeren.

Algemene adviezen

De volgende adviezen zijn voor iedereen van belang om osteoporose tegen te gaan en de kans op een botbreuk te verminderen:
- Zorg voor voldoende lichaamsbeweging, want dat bevordert de aanmaak van botweefsel. Lopen stimuleert de aanmaak meer dan bijvoorbeeld fietsen of zwemmen.
- Zorg voor een gezonde voeding met ongeveer vier porties zuivel per dag. Een portie zuivel komt overeen met een glas (150 ml) melk, karnemelk, yoghurt, kwark of vla of een plak kaas van 20 gram. Zuivelproducten bevatten kalk (calcium) en vitamine D. Vitamine D

is nodig om kalk uit de voeding op te nemen. Als je regelmatig bij daglicht buiten komt, maakt je lichaam zelf voldoende vitamine D aan.

- Zowel roken als veel alcohol kan ontkalking van het bot bevorderen. Probeer dus niet te roken en drink niet meer dan twee glazen alcohol per dag (gemiddeld).
- Probeer vallen te voorkomen. Zorg dat er geen losliggende matjes of elektriciteitssnoeren op de vloer liggen. Als je bij het opstaan snel duizelig wordt, sta dan voorzichtig op en houd je aan iets stevigs vast. Ga niet lopen met een leesbril op, want dan zie je de vloer niet goed. Heb je een bril om mee in de verte te zien, zet die dan op voordat je opstaat. Je hebt dan beter zicht op drempels, trappen en stoepranden.

(Bron tips: Patiëntenbrief Nederlands Huisartsen Genootschap)

Depressie

Tijdens de overgang kunnen vrouwen last krijgen van depressieve gevoelens. Als deze langere tijd aanhouden kan er sprake zijn van een echte depressie.

Een depressie tijdens de overgang moet in het algemeen niet worden behandeld met hormoontherapie, maar met antidepressiemiddelen (*antidepressiva*). Wel zou hormoontherapie de stemming wat kunnen verbeteren in geval van stemmingswisselingen die worden veroorzaakt door een tekort aan oestrogeen. Bij twijfel of klachten van depressieve aard die door de overgang worden veroorzaakt, zou een proefbehandeling met hormonen kunnen worden gedaan.

Hormoontherapie zou de bèta-endorfinespiegel doen stijgen. Stemmingswisselingen horen bij de zogeheten atypische overgangsklachten. Ze horen in het rijtje van klachten als slapeloosheid, moeheid of duizelingen (wat niet wil zeggen dat iedere vrouw er evenveel last van krijgt). Depressie gaat echter verder dan wisseling van stemming: bij een depressie ben je aanhoudend in mineur en heb je allerlei lichamelijke en geestelijke verschijnselen (zie het kader met depressie volgens de DSM-IV).

De overeenkomsten met een postpartumdepressie

Een depressieve periode tijdens de overgang kent overeenkomsten met eenzelfde episode tijdens een postpartumdepressie (vroeger ook wel postnatale depressie genoemd). Zowel tijdens de overgang als in de periode na een bevalling en ook voor de menstruatie spelen snelle hormoonwisselingen een rol. In de periode na een bevalling kan een PPD (*postpartumdepressie*) ontstaan.

Bij PMS (*premenstrueel syndroom*) zijn er lichamelijke en psychische klachten zoals stemmingswisselingen in de dagen voor de menstruatie. Daarnaast kunnen andere factoren een rol spelen, zoals stressvolle gebeurtenissen of aanleg voor depressie in de familie.

Symptomen van een depressieve episode volgens DSM-IV

De volgende symptomen zijn opgenomen in de DSM-IV, de *Diagnostic and Statistical Manual of Mental Disorders*, vierde versie. De DSM is het officiële psychiatrische handboek waarin allerlei stoornissen op kenmerken staan beschreven. De symptomen hebben betrekking op een postpartumdepressie, maar in grote lijnen verschilt een postpartumdepressie niet wezenlijk van een depressieve stoornis op een ander moment in het leven.

De symptomen:

- depressieve stemming gedurende het grootste deel van de dag
- duidelijke vermindering van interesse of plezier in (bijna) alle activiteiten
- moeheid of verlies van energie
- verminderde concentratie of besluiteloosheid
- gevoelens van waardeloosheid of onterechte schuldgevoelens
- slapeloosheid of slaapzucht
- psychomotore gejaagdheid of remming
- gewichtsverandering (afname of toename)
- af- of toegenomen eetlust
- terugkerende gedachte aan de dood of suïcidegedachten

Deze klachten beperken het beroepsmatig of sociaal functioneren significant.

In een onderzoek door de verpleegkundige Eileen Engels (gespecialiseerd in PPD, PMS en overgangsklachten) en de gynaecoloog prof. dr. A.A. Haspels wordt een aantal andere kenmerkende klachten voor PPD genoemd. Als je kijkt naar het rijtje 'overige PPD-klachten' uit dit onderzoek, valt de overeenkomst op met de klachten die tijdens de overgang kunnen optreden.

Overige PPD-klachten:

- angst of spanning
- patiënt lijdt aan een herkenbare periode met verhoogde prikkelbare stemming
- patiënt meent niet te voldoen aan de eisen die zijzelf aan het moederschap stelt

- 's nachts voortdurend piekeren over dezelfde thema's (*cognitief rumineren*)
- patiënt heeft het gevoel dat alles vreemd en onwezenlijk is
- patiënt heeft het gevoel dat ze niet goed voor haar kind zorgt
- er is sprake van libidoverlies (dit is niet bij elke vrouw gelijk)
- transpireren (vooral 's nachts)

(*Bron: Een behandeling van postpartumdepressie*, door E. Engels en prof. dr. A.A. Haspels, Tijdschrift voor Huisartsgeneeskunde, *september 2003*)

Afgezien van de klachten die rechtstreeks betrekking hebben op het moederschap, laten de overige klachten zich herkennen als de atypische overgangsklachten. Eileen Engels: 'Voor het niet kunnen voldoen aan de eisen die het moederschap stelt, zou je in de overgang onzekerheid kunnen invullen, onzekerheid over het vrouw zijn, en over de lichamelijke aftakeling. En voor het gevoel niet goed voor je kind te zorgen, kan er in de overgang het gevoel zijn dat je geen goede vrouw meer bent voor je man. Ook piekeren vrouwen in de overgang veel. Als je – met of zonder extra hormonen – niet zo lekker in je vel zit, kun je vooral voor het slapen steeds maar piekeren over hoe je de dingen zult aanpakken. Wil je wel of niet naar dat feestje, waarin je eigenlijk geen zin hebt? Vaak worden vrouwen ook niet gestimuleerd door de partner. Er is ook nog veel onbegrip bij partners. Veel vrouwen staan 's ochtends moe op, met sombere gevoelens: ze voelen zich waardeloos of nutteloos bij de gedachte dat ze niet zoveel toekomst meer hebben en naar verhouding nog maar korte tijd van leven. Het beste deel van hun leven zit erop! Als vrouwen mij daarover bellen kan ik wel meegaan in die gedachte, maar ik vind dat je moet proberen om er wat tegenover te stellen. Ga in ieder geval wat doen, ga niet achter de geraniums zitten, doe de dingen die je leuk vindt. Zorg dat je iets hebt om naar uit te kijken – als je niet meer werkt, neem dan een hobby. Zelf schilder ik, dat is voor mij een kick. Probeer iets te vinden wat je leuk vindt en wat je kunt doen wanneer het jou uitkomt – er moet geen tijdsdruk op staan.'

Eileen Engels adviseert de vrouwen die haar op haar spreekuur bellen altijd om naar de huisarts te gaan voor een bloedonderzoek. 'Laat je bloed prikken op FSH en LH, dan weet je of je in de overgang bent of in de menopauze. Het mooie van de overgang is dat je de hormonen die je misschien te kort komt, kunt checken. Voor PPD en PMS geldt dat niet – het hormoon progesteron schommelt dusdanig dat wanneer je het zelfs drie keer per maand (in één cyclus) laat bepalen de waarde hiervan niets zegt over het ziektebeeld PPD of PMS. De progesteronspiegel kun je vergelijken met bloeddruk, de waarde schommelt continu. Als je bloed geprikt is kun je eventueel besluiten tot hormoonsuppletie. Ik adviseer dan altijd een combinatie van oestrogeen en progestageen, (merknaam Femoston) bij vrouwen in de overgang en dydrogesteron (merknaam Duphaston) bij PPD en PMS, volgens mij de minst schadelijke middelen die je kunt gebruiken.'

Geen psychische overgangsproblemen na PMS of PPD?
Simone (50): 'Mijn gynaecoloog had me voorspeld dat ik weinig last zou hebben van de geestelijke verschijnselen van de overgang. Ik heb vroeger een postnatale depressie gehad, en daarna kreeg ik PMS. En inderdaad, ik merk weinig van de geestelijke verschijnselen van de overgang, ik heb geen driftbuien en ik ben niet depressief. Ik ben er wat dat betreft op vooruit gegaan – mooi geen PMS-klachten meer!'

Commentaar van Eileen Engels: 'Leuk opgemerkt van die gynaecoloog, maar hoe iemand zal reageren op een oestrogeentekort is niet te voorspellen. Bij PPD of PMS gaat het om een progesterontekort – dat voorspelt niets over een reactie op een oestrogeentekort in de overgangsjaren. Ik ken vrouwen die PPD gehad hebben en jaren later, in de overgang, bijvoorbeeld opeens weer die angst voor scherpe voorwerpen kregen die bij hun postpartumdepressie hoorde. Dat is heel beangstigend, de overgang roept de gedachten van toen weer op en de vrouw is bijvoorbeeld opnieuw bang voor een mes. Je kunt dit soort dingen echt niet voorspellen, ook niet aan de hand van vragenlijsten, zoals sommige onderzoekers menen.'

Derde puberteit

Geestelijk kun je tijdens de overgangsjaren een soort puberteitsverschijnselen meemaken: wisselende stemmingen, woede-uitbarstingen en de drang om je los maken van je omgeving: werk of gezin. Allemaal verschijnselen die wijzen op de overgang van de ene levensfase naar de andere. Je zou het geestelijke proces tijdens de overgang kunnen aanduiden als de derde puberteit.

De eerste puberteit beleeft een mens tijdens de peuterjaren, de fase waarin het kind zijn eigen wil ontdekt. Deze fase wordt ook wel eens aangeduid als de 'nee-periode': het kind gaat dwars tegen de wil van de ouders in, het kan inmiddels lopen en wil steeds meer dingen zelfstandig doen.

De tweede, echte puberteit begint vanaf een jaar of elf en eindigt op de leeftijd van de jongvolwassene, die hopelijk voldoende gerijpt is om een eigen zelfbeeld te hebben en de eigen verantwoordelijkheden te aanvaarden.

Tijdens die 'derde puberteit' doen vrouwen soms onverwachte dingen. De een doet niets liever dan zich terugtrekken en zendt signalen uit die te vertalen zijn als: 'Laat me met rust.' De ander gooit misschien de kop in de wind en schudt de 'last' van man en kinderen van zich af, op zoek naar een nieuwe toekomst, een andere werkkring, een andere partner. Eigenlijk: een ander leven.

Mag ik nu ook eens?

In alle puberteitsfasen in een mensenleven draait het om het eigen 'ik': ook vrouwen in de overgang kunnen plotseling egocentrisch zijn of lijken.

Vaak heeft dit gevoel te maken met gevoelens van woede en weerzin (zie verder in dit boek). Het egocentrische deel van jezelf, dat je omwille van anderen misschien ver hebt weggestopt, mag eindelijk naar boven komen.

Dat gevoel kan vooral bovenkomen als jij altijd voor anderen hebt gezorgd: je man, je kinderen of je familie. Je kunt de neiging hebben om thuis of op je werk de boel de boel te laten: ze zoeken het maar eens uit zonder jou! Of je wilt nu eindelijk wel eens die eigen kamer in je huis, een plek voor jezelf, waar je met rust gelaten wordt. Helaas staat de tredmolen van het leven vaak haaks op die behoefte. Je kinderen worden groter en staan misschien op het punt vandaag of morgen uit te vliegen. Die vrijheid voor jezelf kan aantrekkelijk zijn. Maar intussen worden je ouders ouder en misschien ziek. Juist in deze levensfase waarin je genoeg kunt hebben van alle zorgen en verplichtingen, kunnen er weer nieuwe verplichtingen op je afkomen.

Veel vrouwen in de overgang zitten in de zogeheten *sandwichgeneratie* – ze vormen het plakje beleg tussen de boterham van hun kinderen en die van hun oude ouders. Zo kun je je geplet voelen tussen de wensen en behoeften van de jongere en de oudere generatie. Waar blijf je zelf als je voor iedereen moet zorgen?

Joke vertelt: 'Uitgerekend op de dag dat mijn zoon 19 jaar werd, was er plotseling plaats voor mijn moeder in het verpleeghuis. Op een en dezelfde dag moesten we met het verpleeghuis in gesprek over haar gezondheid en met onze zoon in onderhandeling over de voorraad bier. Terwijl mijn hoofd nog vol was van het gesprek, dat ging over mogelijke morfine in de toekomst tot praktische zaken als het merken van haar kleding, moesten we op de terugweg nog langs de supermarkt voor bier en zakken chips. Onze zoon zou namelijk eerst "niks" aan zijn verjaardag doen, maar op het laatste moment kondigde hij opgewekt aan dat er 's avonds "een paar" (tien!) vrienden zouden langskomen. Het kostte me de grootste moeite om zijn vrienden niet weg te kijken, zo moe was ik van deze emotionele dag met mijn moeder.'

Ook in lichamelijk opzicht zou je de overgang met de puberteit kunnen vergelijken, maar dan in omgekeerde zin. Komen tijdens de echte puberteit allerlei lichamelijke processen op gang doordat de eicellen gaan rijpen, nu veranderen die processen omdat de eicellen opraken. In beide situaties is er sprake van sterke hormoonschommelingen, en van grote lichamelijke en geestelijke veranderingen.

Zou je de wereld door mijn ogen kunnen zien

Dan zou je mij beter begrijpen misschien

dan zou je mijn verwarring voelen

en weten wat ik zou bedoelen

alles waarin ik heb geloofd

wat me werd verteld en beloofd

Ik krijg mijn gedachten niet meer in banen

't is een wild gevecht met mijn tranen

Waar ben ik in godsnaam in beland

mijn gevoel rijmt niet meer met mijn verstand

Ik zit nu met een geestelijke chaos

iets wat ik zelf nu even niet oplos

Een nieuwe fase in je leven

werd me verteld en wordt er geschreven

maar hoe moet ik die ingaan

als ik er niet mee kan omgaan

De vele onbeantwoorde vragen

die steeds maar voortdurende strijd

die eindeloos lang lijkende dagen

men zegt het is een kwestie van tijd...

Een gedicht van Franca op de website van Vrouw en Overgang

Fitness

Als je altijd aan sport hebt gedaan, kun je daar gewoon mee doorgaan om fit te zijn en te blijven. Heb je weinig of niet gesport, dan zul je merken dat alleen gezond eten niet voldoende is om je fit te blijven voelen. Je zult ook moeten bewegen. Voldoende bewegen wordt wel gedefinieerd als dagelijks een halfuur bewegen, waarvan minstens drie keer per week matig intensief.

Wil je er echt werk van maken, dan kun je naar een sportschool gaan. Je kunt natuurlijk ook thuis oefenen, maar daar is niemand die je corrigeert als je het verkeerd doet. Daarom is het misschien een goed idee om lid te worden van een fitnesscentrum, waar zowel de apparatuur als de begeleiding aanwezig is.

Voorbeelden van oefeningen die je onder begeleiding in een fitness-centrum kunt doen:
- cardio-oefeningen
- spierversterkende oefeningen
- spierlenigheidsoefeningen
- mobiliserende oefeningen
- evenwichtsoefeningen
- houdingsoefeningen
- ontspanningsoefeningen
- ademhalingsoefeningen

Veel sportscholen bieden cursussen aan voor leeftijdsdoelgroepen, bij-voorbeeld forty fit (vanaf 40 jaar) en fifty fit (vanaf 50 jaar). Soms kun je hierbij ook gebruikmaken van andere voorzieningen in het sport-centrum, bijvoorbeeld een sauna of zwembad.

Zie ook: Bewegen.

Fyto-oestrogenen

Fyto-oestrogenen zijn plantaardige hormonen: oestrogeenachtige stoffen uit planten. Ze worden ook wel isoflavonen genoemd. Fyto-oestrogenen komen van nature voor in veel voedingsmiddelen: in soja, peulvruchten (bonen, peultjes, kikkererwten), maar ook in rode klaver. Veel natuurlijke middelen tegen de overgang bevatten fyto-oestrogenen, meestal afkomstig uit soja(meel) of rode klaver. Er zijn verschillende soorten isoflavonen: de meeste peulvruchten bevatten er twee, maar rode klaver zou (volgens opgave van de fabrikant van een op rode klaver gebaseerd product) vier isoflavonen bevatten. De isoflavonen hebben elk hun eigen effect, maar zouden ook samenwerken. Fyto-oestrogenen of isoflavonen worden wel aangeraden bij milde overgangsklachten. Bij de drogist of de reformwinkel vind je verschillende soorten en merken.

Een theorie is dat fyto-oestrogenen zich hechten aan de oestrogeenreceptoren op de cellen, maar deze slechts zwak activeren. Aan de andere kant kunnen ze ook beschermen tegen te veel oestrogeen. Zo zouden soja-isoflavonen voldoende oestrogenenactiviteit hebben om opvliegers te voorkomen bij Japanse vrouwen in de overgang. Bovendien zouden ze deze vrouwen ook beschermen tegen andere, sterkere oestrogeenachtige stoffen, waaronder gifstoffen uit het milieu en de groeibevorderende hormonen in vlees van dieren die om hun vlees gefokt worden. In dat geval zouden ze namelijk ook de toegang tot bepaalde receptoren blokkeren. Japanse vrouwen krijgen in hun voeding veel meer fyto-oestrogenen binnen dan Nederlandse vrouwen.

Er zijn verschillende fyto-oestrogenen, en nog lang niet alles over deze stoffen is bekend. Ook de lignine in vlas, hennep en andere oliezaden behoort tot de fyto-oestrogenen.

Zie ook: Voedingssupplementen.

Gewichtstoename

Veel vrouwen tobben hun hele leven al met hun gewicht. Maar ook als je altijd tot de slanke dennen hebt behoord, kun je in de overgang merken dat je taille verdwijnt. Je krijgt meer vet op de buik en op de heupen. Gemiddeld kun je twee tot drie kilo aankomen. In feite zijn vet op de buik en een verdwenen taille een mannelijker beeld, dat mede veroorzaakt wordt door de afname van oestrogenen. Daardoor krijgt een ander hormoon, testosteron, het mannelijke hormoon dat ook vrouwen in geringe mate produceren, kans om wat meer te overheersen en je een mannelijker figuur te bezorgen. De invloed van testosteron kun je ook merken aan verschijnselen als een lagere stem en meer lichaams- of gezichtsbeharing ('snor').

Als je dikker wordt, bestaat de remedie uit minder eten (minder energie-inname) en meer bewegen. Er is bij gewichtstoename een verstoorde balans tussen de hoeveelheid eten en energieverbruik. Meer bewegen is overigens altijd verstandig, bewegen heeft allerlei bewezen positieve effecten op de gezondheid. Je kunt elke dag een flinke wandeling maken, gaan joggen of lid worden van een sportschool of fitnesscentrum (zie ook: Bewegen; Fitness).

In Nederland wordt het bewegen onder meer gestimuleerd door de Nederlandse Hartstichting en het ministerie van Volksgezondheid, Welzijn en Sport.

Er is zelfs een landelijke testweek ingesteld voor de nationale gezondheidstest. Bij deze test worden lengte, gewicht, buikomvang, conditie, buikspierkracht en leefstijl gemeten. Na afloop krijgen de deelnemers een leefstijladvies. In 2003 deden bijna 6000 Nederlander boven de 23 jaar mee aan de test. Gewichtstoename is niet alleen voor vrouwen in de menopauze een probleem: van al deze deelnemers zegt 58 procent dat ze in de afgelopen vijf jaar zwaarder zijn geworden. Deze gewichtstoename blijkt vooral voor te komen bij mensen die te weinig bewegen of te weinig groente of fruit eten.

Om bij stil te staan: 1 zak patat = 109 minuten wandelen of 64 minuten fietsen.
Het is ook mogelijk een digitale zelftest te doen op het internet: www.nationalegezondheidstestonline.nl.

Antidikmakers

Vette en zoete producten staan bekend als dikmakers: boter, slagroom, vet- en suikerrijke taart of koekjes, sommige toetjes. Kies voor halfvolle melkproducten en neem als toetje liefst vers fruit, magere yoghurt of kwark. Eet bij voorkeur mager vlees of vis (vette vis mag weer wel vanwege de gezonde visvetzuren!) en daarbij volop groente zonder calorierijke saus.
Niet alleen eten kan dik maken, ook sommige dranken bevatten veel calorieën. Houd daarom ook een beetje in de gaten wat je drinkt: alcoholhoudende dranken en frisdrank kunnen erg veel suiker (calorieën) bevatten. Drink liever vruchtensap (eventueel verdund met water) of mineraalwater.

BMI en tailletest

In ons land lijden veel volwassenen – mannen en vrouwen – aan overgewicht. Overgewicht is een groot gezondheidsprobleem, omdat het de kans verhoogt op diabetes en op hart- en vaatziekten. Ernstig overgewicht wordt obesitas genoemd – er zijn speciale klinieken waar mensen met obesitas terecht kunnen.
Om te zien of je een goed gewicht hebt kun je het rekensommetje van de BMI (body mass index) toepassen: je gewicht in kilo's gedeeld door het kwadraat van de lengte in meters (bijvoorbeeld 65 gedeeld door 1,70 x 1,70 = 22,5). De BMI wordt ook wel QI genoemd (Quetelet Index). Onder de 18,6 ben je te mager. Een BMI tussen 18,5 en 25 wordt als een goed gewicht gezien (de bovengrens van 25 wordt door sommige deskundigen overigens aan de hoge kant beschouwd). Tussen de 25 en 30 is er sprake van overgewicht, en vanaf een BMI 30 van ernstig overgewicht (obesitas).
Behalve het gewicht is ook de vetverdeling van belang: vet op de buik

is een risicofactor voor hart- en vaatziekten. Een appelvorm (vet op de buik) is riskanter dan een peervorm (vet op de heupen en dijen).

De verhouding van de taille tot de heup moet liefst onder de 0,8 blijven. Met andere woorden: de omvang van de taille mag niet gelijk zijn aan de heupomvang, maar zou daarvan maximaal 80 procent mogen bedragen.

Nog simpeler is het om gewoon je taille op te meten. Pak een centimeter en meet tussen de onderkant van je onderste rib en de bovenkant van het bekken (heupbeen).

De tailletest – niet te strak aantrekken – laat zien of je geen verhoogd risico hebt, de risicogrens nadert of een verhoogd risico hebt. Is je taille minder dan 80 centimeter, dan zit je goed. Blijf op gewicht. Tussen de 80 en 88 centimeter nader je de risicogrens: zorg dat je niet meer aankomt. Vanaf 88 centimeter heb je een verhoogd risico. Je zou dan moeten proberen om af te vallen. Deze uitkomsten gelden alleen voor vrouwen, voor mannen zijn de cijfers respectievelijk minder dan 94 centimeter, 94-102 centimeter en vanaf 102 centimeter.

Deze tailletest moet je niet doen als je boven de 60 jaar bent. Als je ouder wordt, gelden andere maatstaven. De test is ook niet geschikt voor kinderen.

Gewrichtsklachten

Gewrichtsklachten horen niet tot de typische overgangsklachten. Toch klagen veel vrouwen hierover.

Er lijkt een verband tussen veranderingen in de hormoonhuishouding en het optreden van gewrichtsklachten. Veel vrouwen hebben last van pijn in of rond de kleine gewrichten. Medisch onderzoek (röntgenfoto) laat meestal geen afwijkingen zien. Medisch onderzoek kan wel nuttig zijn om na de te gaan of er een andere oorzaak is voor de klachten, bijvoorbeeld reuma of artrose (gewrichtsslijtage). Er is nog weinig onderzoek gedaan naar de invloed van hormoontherapie op deze klachten.

Om je gewrichten zo soepel mogelijk te houden kun je zorgen voor voldoende beweging. Zie ook: Bewegen; Fitness.

Tai-chi voor soepele gewrichten

Een heel aparte vorm van beweging is tai-chi. Bij tai-chi voer je in vloeiende bewegingen een aantal zelfverdedigingoefeningen uit. De vloeiende bewegingen stimuleren het stromen van wat de chi wordt genoemd: de levensenergie.

Iedereen kan tai-chi leren. Je hoeft niet sterk of extra lenig te zijn, en er is ook geen religie mee verbonden. Tai-chi heeft veel gezondheidsaspecten. Niet alleen stimuleert het de bloedsomloop zonder dat je je overmatig moet inspannen, maar het kan ook helpen de gewrichten flexibel te houden. De roterende bewegingen bij tai-chi houden de gewrichten soepel, zonder dat je ze forceert. Tai-chi wordt daarom ook wel eens aangeraden aan mensen met reumatische aandoeningen en artritis.

Haar

In de behaarde hoofdhuid zitten oestrogeenreceptoren, die zorgen voor een typisch vrouwelijk patroon. Als er minder oestrogeen circuleert, kun je dat merken aan je haar: het kan dunner worden of gaan uitvallen. Overigens in het normaal dat er haren achterblijven in je haarborstel of dat je na het haren wassen een dotje haren in het zeefje van de douche aantreft. Pas als er hele plukken haar achterblijven, is er sprake van haaruitval.

Terwijl de hoofdharen grijzer of dunner worden, kan er op andere plaatsen ongewenste haargroei ontstaan. Elke vrouw heeft ook wat mannelijk hormoon, testosteron. Als het oestrogeengehalte vermindert kan het testosteron wat meer de overhand krijgen en dat kan zich uiten in een mannelijker beharingspatroon. Op de bovenlip kan een 'snorretje' ontstaan. Er zit niets anders op dan dit te lijf te gaan met alle middelen die daar tegenwoordig voor zijn: van epileren met een pincet tot zelfs lasertherapie, ontharingscrèmes of harsstrips.

> **Tip**
>
> Probeer eens een haarverdikkende shampoo. De haren zullen niet echt dikker worden, maar er wel dikker kunnen uitzien.

Hart

Hart- en vaatziekten voorkomen

Naast kanker vormen hart- en vaatziekten het grootste risico van vroegtijdig overlijden of ernstige gezondheidsproblemen. Juist vanaf de overgangsjaren moet je echt moeite gaan doen om deze te voorkomen.

Waarom kunnen hart- en vaatziekten nu juist na de menopauze ontstaan? Tot de menopauze worden vrouwen tegen het ontstaan van hart- en vaatziekten beschermd door oestrogenen. Daarom hebben vrouwen onder de 50 jaar minder kans op een hartinfarct of een hersenbloeding dan mannelijke leeftijdgenoten. Helaas lopen vrouwen deze gunstige achterstand op mannen snel in als zij de menopauze bereikt hebben. Daarom wordt het dan de hoogste tijd om aan preventie te gaan doen, als je dat al niet voor die tijd deed.

Hart- en vaatziekten hebben veel te maken met een gezonde leefwijze, gezond eten, niet roken, een gezond gewicht en voldoende beweging. Maar ook erfelijke factoren kunnen een rol spelen. Aan dat laatste kun je weinig doen, maar aan een gezonde leefwijze des temeer. Een gezonde leefwijze kan risicofactoren als een hoge bloeddruk of overgewicht voorkomen. Hoe meer risicofactoren, hoe groter de kans op deze ziekten. En het vervelende is dat twee of meer factoren niet simpelweg een optelsom vormen, maar dat combinaties van risicofactoren het risico onevenredig vergroten. Daarom moet je risicofactoren als overgewicht, een hoog cholesterolgehalte en een hoge bloeddruk vermijden.

Bloedvaten en hormonen

De conditie van de bloedvaten wordt mede beïnvloed door oestrogenen. Oestrogenen beïnvloeden de elasticiteit van de vaatwand en daarmee de doorstroming. Er is lang gedacht dat hormoonsuppletietherapie (HST) mogelijk een gunstige invloed zou hebben op de preventie van hart- en vaatziekten, maar naast de onderzoeken die dat bevestigen, zijn er onderzoeken die dat weer tegenspreken. De Women's Health Initiative, een grote Amerikaanse studie, toonde zelfs een toename van het risico van hart- en vaatziekten. Overigens is er later door deskundigen weer getwijfeld aan de juiste opzet van dit onderzoek: het blijft tobben met het juist interpreteren van grote onderzoeken en daarom kiest men maar liever voor veiligheid als het gaat om het voorschrijven van hormonen.

In het algemeen geldt dat hormoonsuppletietherapie of HST niet (meer) ingezet wordt als middel bij de preventie van hart- en vaatziekten.

Cholesterolgehalte

Een hoog cholesterolgehalte is een risicofactor voor het ontstaan van hart- en vaatziekten. Een beetje cholesterol hebben we gewoon nodig om ons lichaam te laten functioneren, maar als we er te veel van hebben raken onze bloedvaten dichtgeslibd. Ons lichaam maakt twee soorten cholesterol, van het 'goede' en van het 'verkeerde' type. Het goede cholesterol heet HDL (*high density lipoproteine*). HDL zorgt voor de afvoer van het cholesterol uit de vaten naar de lever om daar afgebroken te worden. Het 'foute' type heet LDL (*low density lipoproteine*). LDL bevordert het transport van cholesterol naar de weefsels.

De verschillende soorten lipoproteïne worden in de lever aangemaakt en afgebroken. Het is belangrijk dat het HDL in het totaalcholesterol hoog is en het LDL laag. Als het HDL afneemt en het LDL toeneemt, veroorzaakt dat de stijging van cholesterol in het bloed die in verband wordt gebracht met hart- en vaatziekten. In dit hele proces spelen oestrogenen een rol. Oestrogenen stimuleren de aanmaak van HDL in de lever en remmen de aanmaak van LDL. Als er minder oestrogenen circuleren, kan het LDL toenemen en het HDL dalen.

Het is dus niet zo gek om juist in de overgangsjaren het cholesterolgehalte te laten bepalen en maatregelen te nemen in de vorm van gezonde voeding en veel bewegen. Mocht het cholesterolgehalte ondanks deze maatregelen onaanvaardbaar hoog worden, dan zijn er medicijnen. Het is echter beter om te voorkomen dat je deze medicijnen moet gebruiken.

Hartkloppingen

Opvliegers kunnen vergezeld gaan van hartkloppingen of hartbonzen. Oorzaak hiervan is de verandering van de bloeddoorstroming tijdens de opvliegers. Als je hartkloppingen hebt, wil dat zeker niet zeggen dat je een hartziekte hebt. Hartkloppingen worden, evenals opvliegers, tot de vasomorische klachten gerekend: ze horen bij de typische overgangsklachten, net als transpireren en nachtzweet.

Pas als er andere klachten bij de hartkloppingen komen, zoals pijn op de borst, is het verstandig om naar de dokter te gaan. Wacht in dat geval niet te lang.

Zie ook: Overgangsklachten.

Hormonen

Hormonen spelen een belangrijke rol in het leven van een vrouw: in de puberteit, wanneer de menstruele cyclus op gang gaat komen, tijdens de zwangerschap en ook bij de overgang van vruchtbaar naar onvruchtbaar.

Hormonen zetten allerlei organen aan het werk. Bij 'hormonen' en de overgang denken we vooral aan geslachtshormonen, de hormonen die de typisch mannelijke en vrouwelijke processen in het lichaam regelen. Het gaat daarbij niet alleen om de ontwikkeling en de functie van de geslachtsorganen, maar ook om de haargroei en de lichaamsbouw. De belangrijkste vrouwelijke geslachtshormonen zijn oestrogeen en progesteron. Oestrogenen zorgen in de menstruele cyclus voor de aanmaak van het baarmoederslijmvlies. Ze zijn ook van invloed op verschillende weefsels en organen, zoals de botten en de huid. Progesteron wordt na de eisprong (ovulatie) in de eierstokken gemaakt. Als er geen bevruchting is geweest, stopt de productie van progesteron. Het baarmoederslijmvlies dat gereed was voor het bevruchte eitje, wordt dan afgestoten: de menstruatie. Dit proces gaat jaren door, mits niet onderbroken door pilgebruik (er vindt dan geen eisprong plaats) of door een vroegtijdige verwijdering van de baarmoeder en/of de eierstokken. Tijdens de overgangsjaren worden de eierstokken minder actief. Er wordt minder oestrogeen en minder progesteron gemaakt. Er rijpt ook niet meer elke maand een eitje. Dit merk je aan de veranderingen in het menstruatiepatroon: het wordt onregelmatiger en de menstruaties kunnen heviger worden. Na verloop van tijd kunnen er maanden tussen twee menstruaties zitten en op een pas achteraf te bepalen moment heb je de laatste menstruatie: de menopauze is een feit.

Wat gebeurt er nu in de overgangsjaren, wanneer de voorraad eicellen afneemt? Het belangrijkste oestrogeen is oestradiol (ook wel estradiol genoemd). Estradiol wordt voornamelijk geproduceerd in de eierstok-ken. Als de voorraad eicellen in de eierstok op is, valt de productie van estradiol weg. De hypofyse zal de productie en de afgifte van het folli-kel stimulerend hormoon (FSH) en van het luteïniserend hormoon (LH) verhogen omdat de hypothalamus gewoon doorgaat met de afgif-te van GNRH (*gonadotrophin-releasing hormone*). De productie van FSH en LH is een reactie op deze afgifte; voor de menopauze wordt dit pro-ces gestopt door het natuurlijke progesteron. Daarom geven bloedtests na de menopauze een verhoogde waarde FSH en LH.

In de bijnierschors wordt androstenedion gemaakt. Dit kan op zijn beurt weer omgezet worden in oestronsulfaat en opgeslagen worden in vetweefsel.

Zo bestaat er ook na de laatste menstruatie (menopauze) nog een individuele oestrogeenproductie. Dikke vrouwen kunnen in het voor-deel zijn als het gaat om overgangsklachten: doordat zij meer vetweef-sel hebben, is hun individuele oestronproductie wat hoger.
Daarnaast blijven vrouwen ook testosteron produceren, het 'manne-lijke' hormoon. Er wordt minder testosteron aangemaakt dan voor de menopauze, maar door de daling van het oestrogeengehalte kan toch een verschuiving richting 'mannelijke kenmerken' ontstaan. Dat kan zich uiten in gewichtstoename rond de taille of een andere, mannelij-kere beharing (bijvoorbeeld een 'snor' op de bovenlip en meer lichaamsbeharing).

Wat doen hormonen met je?
Het is wat al te simpel om het gedrag en het welzijn van vrouwen te zien als het 'product' van hun hormonen. Toch gebeurt dit wel eens, zowel door artsen als door vrouwen zelf, getuige veel gemaakte opmerkingen als: 'De hormonen gaan er met je vandoor,' of: 'Het is maar net wat je hormonen die dag van plan zijn.' De invloed van hor-moonwisselingen in de overgang is sterk individueel: de ene vrouw heeft (bijna) nergens last van, de andere is in menig opzicht niet meer

in balans en ervaart zelfs een aantasting van wat zo mooi 'de kwaliteit van leven' heet. Mogelijk zou hormoonsuppletietherapie (HST) voor die laatste groep vrouwen een oplossing kunnen zijn voor min of meer ernstige overgangsklachten.

Het dagelijks toedienen van oestrogenen is de basis van de hormoonsuppletie. Oestrogeen (oestradiol) is de stof die je nu juist te kort komt als de voorraad eicellen opraakt. Door toediening van oestrogenen gaat echter het baarmoederslijmvlies groeien. Die groei kan te sterk zijn en als het ware de pan uitrijzen: er kunnen dan ernstige bloedingen ontstaan of er kan in het ergste geval zelfs een vorm van baarmoederkanker ontstaan: endometriumkanker (= kanker van het baarmoederslijmvlies). Daarom worden bij hormoonsuppletietherapie naast oestrogenen ook progestagenen voorgeschreven. Deze hormonen beschermen het baarmoederslijmvlies, zoals voor de menopauze door natuurlijk progesteron gebeurde.

De kans op baarmoederkanker door hormoonsuppletie wordt daardoor sterk verminderd en is zelfs minder dan wanneer er geen hormoonsuppletie wordt gebruikt.

Progestagenen kunnen op twee manieren worden toegediend: dagelijks of iedere maand 10-14 dagen volgens een bepaald schema. Deze laatste methode wordt 'sequentieel' genoemd. Bij een sequentieel schema krijgen de meeste vrouwen een maandelijkse bloeding, die kort na of aan het eind van de toediening van progestageen begint. Dat kan als een nadeel worden ervaren, vooral als je nu net blij was dat je van de maandelijkse 'last' van de menstruatie verlost bent. Maar meestal zul je de voordelen van de hormoonsuppletie groter vinden dan het nadeel van deze onttrekkingsbloedingen.

Om het aantal bloedingen te verminderen werd ook wel slechts een keer in de drie maanden progestageen toegediend. Dit geeft echter vaak doorbraakbloedingen en de baarmoeder blijkt toch het beste beschermd met een maandelijkse toediening van progestageen.

Als je continu een combinatie van oestrogenen en progestagenen slikt, kan je in de eerste maanden wat onregelmatig bloedverlies hebben. De kans is groot dat je bij deze methode binnen een paar maanden geen bloedingen meer hebt.

Vrouwen bij wie de baarmoeder verwijderd is hoeven uiteraard geen progestagenen te gebruiken. In hun situatie volstaan oestrogenen.

Welke behandeling voor welke vrouw?

In het algemeen houden artsen de volgende richtlijnen aan.

- Vrouwen die nog niet in de menopauze zijn en anticonceptie wensen, kunnen bij overgangsklachten de anticonceptiepil doorslikken tot het 52ste jaar.
- Als anticonceptie niet (meer) nodig is komt sequentiële HST in aanmerking.
  Vrouwen die in de postmenopauze zijn kunnen in aanmerking komen voor continue HST: dit betekent continu oestrogenen en continu progestagenen.
- Een andere mogelijkheid voor postmenopauzale vrouwen is tibolon (merknaam Livial). Dit middel verhoogt de dichtheid van het borstweefsel zelden, zodat dit geen probleem oplevert bij het beoordelen van een mammografie (waarvoor alle vrouwen vanaf 50 jaar in Nederland om de twee jaar worden uitgenodigd). Nadeel: gewichtstoename en androgene bijwerkingen.

Het kan soms even zoeken zijn naar het beste preparaat omdat niet alle vrouwen hetzelfde zijn en dus ook niet hetzelfde reageren op de verschillende progestagenen. Voor de meeste vrouwen geldt dat ze zich het beste voelen bij een licht (= 1 mg oestradiol) preparaat (geen of nauwelijks bijwerkingen) en een progestageen zonder androgene eigenschappen (o.a. opgeblazen gevoel, beharing).

Wanneer de overgangsklachten vooral urogenitale klachten zijn, komen lokale (vaginale) middelen in aanmerking: zwak werkende oestrogenen, die niet worden geslikt, maar bijvoorbeeld in de vorm van een gel worden gesmeerd.

Voor- en nadelen

Het voordeel van hormoonsuppletietherapie is dat op korte termijn de overgangsklachten kunnen worden aangepakt die ontstaan door een tekort aan oestrogenen. Dit kan de 'kwaliteit van leven' flink verbeteren: minder opvliegers, minder nachtzweten, geen verstoorde slaap en minder stemmingswisselingen.

Op de lange termijn werkt HST ook gunstig op de botten: zolang er voldoende oestrogenen zijn, is er niet de gebruikelijke versnelde botafbraak na de menopauze.

In het verleden zijn meer positieve effecten van hormoonsuppletietherapie genoemd: het zou leiden tot het minder vaak optreden van colonkanker (dikkedarmkanker) en beschermen tegen het ontstaan van de ziekte van Alzheimer, een vorm van dementie. Is er al dementie, dan heeft HST daar geen gunstig effect meer op.

Ook is het positieve effect van hormoontherapie op hart- en vaatziekten in later onderzoek onderuitgehaald. Hormoontherapie wordt daarom nu gezien als behandeling van overgangsklachten en ter preventie van osteoporose als andere therapieën (bisfosfonaten) niet goed verdragen worden De therapie wordt niet aangeraden ter preventie van hart- en vaatziekten op latere leeftijd.

Nadelen zijn er ook: langdurig gebruik van hormonen vergroot het risico van borstkanker en, als alleen oestrogenen worden gegeven, van kanker van het baarmoederslijmvlies (endometriumkanker). Het risico van baarmoederslijmvlieskanker wordt ondervangen door niet alleen oestrogenen, maar ook progesteron te geven. Daardoor wordt voorkomen dat het baarmoederslijmvlies gaat woekeren. Nadeel is dat bij een sequentiële therapie bloedingen optreden, geen echte menstruaties, maar onttrekkingsbloedingen. Vrouwen die blij waren dat zij van de maandelijkse menstruatie af waren, vinden deze bloedingen vaak vervelend en noemen dit een nadeel van de therapie. Gelukkig is er tegenwoordig een bloedingvrije therapie: continu gecombineerd oestrogeen + progestageen.

Ook zou hormoontherapie de vorming van stolsels in de aderen (trombose) kunnen bevorderen.

Bovendien zijn er enkele bewijzen voor een verhoogde kans op een hartaanval of een beroerte bij gebruik van de gecombineerde hormoontherapie (oestrogenen en progestagenen). Dit geldt alleen in het eerste jaar van het gebruik.

Conclusie: hormoontherapie kan nuttig zijn bij overgangsklachten die de kwaliteit van leven aantasten. Hormonen moeten echter in minimale doses en zo kort mogelijk worden gebruikt. Dit staat in de richtlijnen die het Europees bureau voor geneesmiddelen in december 2003 heeft verspreid.

Deze aanbeveling komt overeen met de richtlijn die het Nederlands Huisartsen Genootschap enkele maanden daarvoor had opgesteld. Huisartsen moeten vrouwen zelf laten beslissen of ze hormonen willen gebruiken. Als vrouwen voor hormoontherapie kiezen, moet ieder halfjaar bekeken worden of de klachten nog zo ernstig zijn dat hormonen moeten worden gebruikt.

Hormoontherapie en het risico van borstkanker

Vrouwen die langer dan vijf jaar (gecombineerde) HST gebruiken, hebben een iets grotere kans op borstkanker. De kans is verhoogd, maar niet zo schrikbarend als sommige vrouwen menen. De groep vrouwen in het WHI-onderzoek die uitsluitend oestrogeen gebruikten, bleken overigens geen verhoogd risico te hebben. Dit laatste onderzoek over de zogeheten oestrogeenarm van de WHI heeft de kranten echter nauwelijks gehaald.

De publiciteit over hormonen en het risico van borstkanker heeft veel vrouwen die hormonen gebruiken afgeschrikt. Plotseling stoppen met hormoontherapie is niet altijd een optie, zeker niet bij ernstige klachten die de kwaliteit van leven aantasten.

Het volgende overzichtje laat de toename van borstkanker zien per 1000 vrouwen. Het verschil (12 op de 1000 vrouwen *meer*) is het grootst tussen vrouwen die geen hormonen gebruiken en vrouwen die 15 jaar hormonen hebben gebruikt. Al in 1997 werden deze cijfers bekend, die in 2004 nog steeds gehanteerd worden omdat ze inmiddels door onderzoek zijn bevestigd.

Zonder hormoontherapie krijgen 77 op de 1000 vrouwen borstkanker

Na vijf jaar hormoontherapie is dit aantal: 79 op de 1000 vrouwen

Na 10 jaar hormoontherapie: 83 op de 1000 vrouwen

Na 15 jaar hormoontherapie: 89 op de 1000 vrouwen.

Bij alle getallen die steeds weer opduiken in publicaties over de gevolgen van hormoontherapie, is het goed om te bedenken dat de verschillende soorten hormoontherapie niet allemaal dezelfde effecten op het weefsel en de stofwisseling hebben. Ze kunnen dus niet over één kam worden geschoren: de ene hormoontherapie is de andere niet, en bovendien kan de dosering individueel verschillen.

In Nederland gebruiken slechts weinig vrouwen langer dan 5 jaar hormonen tijdens de overgang/menopauze. De laatste adviezen zijn in ieder geval om minder dan 5 jaar hormonen te gebruiken. Hoewel elke vrouw zelf moet weten welke risico's ze wil lopen, lijkt het in het algemeen niet verstandig om langer dan vijf jaar hormonen te gebruiken. Bovendien moet de dosering individueel worden bekeken. Zo zouden vrouwen die de menopauze achter de rug hebben over het algemeen met lagere doseringen kunnen volstaan dan vrouwen die nog in de overgang zijn.

De rol van progestagenen

In de grote epidemiologische onderzoeken waarbij gekeken werd naar een eventueel verhoogd risico van borstkanker, is nooit onderscheid gemaakt tussen de verschillende progestagene hormonen. In de Verenigde Staten wordt als progestagene stof vooral MPA (*medroxyprogesteronacetaat*) gebruikt, in Scandinavië NETA (*norethisteronacetaat*). Van tibolon (merknaam Livial) en van de combinatie oestradiol/dydrogesteron (merknaam Femoston) zijn geen klinische gegevens bekend.

De fabrikant van Femoston (Solvay Pharma) heeft een eigen onderzoek laten doen naar de effecten van dit middel op de borsten. Men ging hierbij uit van de volgende gedachtegang:

- Het duurt minstens tien jaar voordat één kwaadaardige borstkankercel is uitgegroeid tot een op een mammogram zichtbare tumor. Alle tumoren die binnen een paar jaar na het starten van de HST werden gediagnosticeerd, waren dus al aanwezig.

- De borstkankers die bij oudere vrouwen worden gevonden zijn bijna altijd receptorpositief en in de tumoren zelf wordt oestradiol gevormd. Als je oestradiolspiegels in tumorweefsel meet, zijn die zeer hoog. Het beetje oestrogeen dat een vrouw met HST binnenkrijgt zal daarom nooit in de tumor terechtkomen. Dat oestrogeensuppletie het optreden van borstkanker niet verhoogt, is inmiddels bewezen onder de groep vrouwen van de Amerikaanse WHI-studie, bij wie na zeven jaar aanvullende therapie geen verhoogde borstkankerincidentie werd gevonden. (WHI staat voor: Women's Health Initiative.)

Deze overwegingen leidden tot onderzoek naar de invloed van de diverse progestagenen op de groei van receptorpositieve borstkankercellen. (HST bestaat bij vrouwen met een baarmoeder immers uit de combinatie van een oestrogene en een progestagene stof – deze laatste ter bescherming van het baarmoederslijmvlies.)

In het middel Femoston zit naast het oestrogeen oestradiol (E2), het progestageen dydrogesteron. In het laboratorium werd de invloed van verschillende progestagenen op borstkankercellen onderzocht. De diverse combinaties van oestradiol met progestagene hormonen bleken verschillende effecten op de groei van borstkankercellen te hebben. In het laboratorium groeiden de oestrogeenreceptorpositieve borstkankercellen bij de combinatie van oestradiol (E2) met norethisteronacetaat (NETA), dienogest en medroxyprogesteronacetaat (MPA). De combinatie met natuurlijk progesteron bleek neutraal, terwijl de combinatie met dydrogesteron (DHD) en tibolon de groei afremden.

Dit onderzoek gebeurde in het laboratorium van het Medisch Spectrum Twente, onder leiding van een klinisch chemicus en een gynaecoloog.

Op basis van dit laboratoriumonderzoek is de conclusie dat tibolon (een middel zonder oestradiol) en de combinatie oestradiol (E2) met DHD een remmend effect hebben op de groei van borstkankercellen. Volgens de fabrikant van Femoston lijkt het aannemelijk dat het gebruik van de combinatie oestradiol/dydrogesteron de tumorgroei niet stimuleert, maar bij vrouwen is dit nog niet bewezen; groei in het laboratorium is immers niet hetzelfde als in het menselijk lichaam.

Het progestageen dat in Femoston zit, bleek op dezelfde manier aan te grijpen op de progesteronreceptoren als natuurlijk progesteron. De progestagene stof in andere middelen bleek daarnaast ook gevoelig te zijn voor de testosteronreceptoren. Dat kan bij deze andere middelen leiden tot mannelijke bijwerkingen als ongewenste beharing en gewichtstoename, vooral rond de taille.

Hoe kun je je die werking voorstellen? Een receptor is een soort slot. In cellen zitten diverse receptoren. Als een stofje (sleutel) in het slot wordt gestoken ('aangrijpt op de receptor') gaat de deur open ('komt een proces op gang'). Je hebt sleutels die maar op één slot passen (progesteron op de progesteronreceptor) en 'lopers' die op meerdere sloten passen (tibolon grijpt zowel aan op de oestrogeenreceptoren als op de progesteronreceptoren en de testosteronreceptoren).

Zie ook: Oestrogeenreceptoren.

Toedieningsvormen HST

Veel vrouwen denken bij hormonen in en na de overgang vooral aan het 'slikken' van pillen of tabletten. Er zijn echter veel meer toedieningsvormen: via een pleister of implantaat, via een injectie, met een gel, een neusspray of als vaginale ring. De meest gebruikte preparaten zijn oestradiol (ook wel estradiol genoemd) en de zogeheten geconjugeerde (equine) oestrogenen.

Vrouwen bij wie de baarmoeder is verwijderd, hoeven geen extra progestagenen te gebruiken om overmatige groei van het baarmoederslijmvlies te voorkomen. (In de medische literatuur staat dit andersom: vrouwen die nog een intacte baarmoeder hebben, moeten progestagenen slikken om overmatige groei van het baarmoederslijmvlies tegen te gaan. Dit wekt de suggestie dat het heel gewoon is dat je rond de overgang je baarmoeder niet meer hebt. In werkelijkheid hebben de meeste vrouwen van rond de 50 jaar nog gewoon een baarmoeder!)

Alle andere vrouwen zullen progestagenen voorgeschreven krijgen om overmatige groei of de opbouw van het baarmoederslijmvlies te voorkomen.

Het gebruik van HST is in Nederland nog niet erg ingeburgerd. In 1998 gebruikte 12 procent van de vrouwen tussen 50 en 59 jaar HST. De meeste vrouwen gebruiken het middel slechts kort, en dat is volgens de laatste aanbevelingen en onderzoeksresultaten in het algemeen waarschijnlijk ook het beste.

Overzicht middelen HST naar toedieningsvorm, aangeduid met hun stofnaam (de merknaam staat tussen haakjes)

Neusspray
Estradiol (Aerodiol)

Tabletten
Cyproteron (Androcur)
Dydrogesteron (Duphaston)
Estradiol (Estreva, Estrofem, Progynova, Zumenon)
Estradiol/cyproteron (Climene 28)
Estradiol/diënogest (Climodien)
Estradiol/dydrogesteron (Femoston, Femoston Continue)
Estradiol/norethisteron (Activelle, Kliogest, Trisequens)
Estradiol/norgestrel (Cyclocur)
Estriol (Synapause E3)
Ethinylestradiol/diverse progestagenen (diverse preparaten)
Medroxyprogesteron (merkloos, Farlutal, Provera)
Megestrol (merkloos, Megace)
Norethisteron (Primolut-N)
Oestrogenen, geconjugeerd (Dagynil, Premarin)

Oestrogenen, geconjugeerd/medrogeston (Premarin Plus)

Oestrogenen, geconjugeerd/medroxyprogesteron (Plentiva 5, Premelle, Premelle Cycle)

Oestrogenen, geconjugeerd/norgestrel (Prempak-C)

Progesteron (Progestan)

Tibolon (Livial)

Subcutane(onder de huid) toediening:
Implantatietablet
Estradiol (Meno-implant)

Transdermale (door de huid) toediening:

Huidpleister
Estradiol (merkloos, Climara, Dermestril Matrixfilm, Dermestril Septem, Estraderm Matrix, Estradot, Estraderm TTS, Fem 7, Menorest, Systen)
Estradiol/levonorgestrel (Fem 7 Sequi)
Estradiol/norethisteron (Estracomb TTS)

Huidgel
Estradiol (Sandrena)

Vaginale toediening:
Estradiol (tabletten: Vagifem, vaginale ring: Estring)
Estriol (Synapause-E3, verkrijgbaar als ovule, crème of tablet)
(Bron overzicht: Geneesmiddelenbulletin 2002:36:109-115)

Bijwerkingen

De bijwerkingen van de verschillende toedieningsvormen van oestrogeensuppletie blijken niet veel te verschillen. De meest genoemde bijwerkingen zijn misselijkheid, braken en pijnlijke, gespannen borsten. Bij de moderne lichte doseringen komen deze bijwerkingen nauwelijks voor of verdwijnen ze binnen enkele weken. Bij het gebruik van een neusspray of pleister kunnen er klachten op de toedieningsplaats optreden, bijvoorbeeld irritatie van de huid bij gebruik van een pleister. Voor een neusspray of pleister gelden dezelfde contra-indicaties als bij het gebruik van tabletten. Bij een ernstig verstopte neus kan de neusspray tijdelijk in de mond worden gespoten.

Contra-indicaties HST:

- oestrogeenafhankelijke tumoren;
- trombo-embolische processen (aanleg voor trombose);
- leverafwijkingen;
- vaginale bloedingen zonder duidelijke oorzaak.

Synthetische of 'natuurlijke' paardenhormonen?

Er zijn overgangshormonen in de handel die vervaardigd zijn uit de urine van drachtige merries (bijvoorbeeld Premarin). Helaas worden deze merries niet erg diervriendelijk gehouden. Volgens de actiegroepen die zich met dit onderwerp bezighouden, worden de merries kunstmatig geïnsemineerd om ze drachtig te maken, maar wordt hun veulen meteen na de geboorte weggehaald en vetgemest voor de slacht. De merries zouden in nauwe stallen staan, geen ruimte hebben om te gaan liggen en weinig te drinken krijgen om hun urine zo geconcentreerd mogelijk te krijgen. De urine wordt opgevangen in zakken, die de dieren continu moeten omhouden. Dit zou op den duur pijnlijk voor de dieren zijn.

Dierenvrienden zouden daarom beter voor synthetische oestrogenen kunnen kiezen dan voor deze zogeheten geconjugeerde equine oestrogenen, vervaardigd uit de urine van drachtige merries.

Clonidine in plaats van hormonen

Het middel clonidine is een bloeddrukverlagend middel, maar het is ook geregistreerd voor de behandeling van opvliegers na de menopauze. In vergelijking met HST is het minder effectief, maar in vergelijking met een placebo (nepmiddel) kwam het er in onderzoeken goed van af. Nadeel is dat je er suf en slaperig van kunt worden.

Huid

Onze huid bestaat uit drie lagen: de opperhuid, de lederhuid en het onderhuidse bindweefsel. De huid is ons grootste orgaan en dit orgaan is net zo belangrijk als bijvoorbeeld de maag of de nieren. Als onze huid ermee 'ophoudt', sterven we binnen enkele uren. Denk maar aan de James Bond-film 'Goldfinger', waarin het met goudverf ingespoten meisje dreigt te sterven.

Als we ouder worden, verliest de huid aan spankracht. Een oudere huid wordt dunner en droger, dat is een normaal proces. De elastische steunweefsels nemen af en ook de talgklierwerking verloopt minder 'gesmeerd'. Ook kan de huid er wat rood en vlekkerig gaan uitzien; een jeugdige huid is egaler van teint.

In de loop van de jaren verandert de structuur van het collageen. Collageen is een eiwit dat zorgt voor de elasticiteit en spankracht van de huid. Dit collageen krijgt vanbinnen en vanbuiten aanvallen te verduren: het wordt daardoor stijver en minder elastisch en ligt niet meer zo netjes in bundels in de huid.

Het collageen van de huid en het onderhuidse bindweefsel bevat oestrogeenreceptoren. Als er geen oestrogeen meer is, wordt de huid slapper, dunner en droger (*atrofieert* ofwel verschompelt) en er verschijnen meer en meer rimpels. Toediening van oestrogenen kan de huid weer dikker en soepeler maken. Hormoonsuppletie (HST) is echter niet bedoeld om een betere huid te krijgen, al kan dit een welkome bijwerking zijn.

De invloed van zonlicht

De meeste schade aan de huid wordt niet veroorzaakt door de leeftijd of de gevolgen van minder oestrogene hormonen, maar door zonlicht. Wie altijd een zonaanbidster is geweest, kan dat op latere leeftijd moeten bekopen met een rimpelige of tanige, zelfs leerachtige huid. Het is verstandig om 'zongewoontes' aan te passen voordat er (nog meer) schade ontstaat. Houd het gezicht zoveel mogelijk uit de zon en gebruik altijd een zonnebrandmiddel met een hoge beschermingsfactor.

Overigens heeft onderzoek aangetoond dat een beschermingfactor of SPF niet overeenkomt met het aantal uren dat je ongestraft langer kunt zonnen. Factor 8 betekent niet dat je acht keer zo lang in de zon kunt gaan liggen zonder de huid te beschadigen. Bovendien blijken er middelen te zijn die hun beschermingsfactor niet helemaal waarmaken en in werkelijkheid een lagere SPF hebben dan op de verpakking staat.

Zonnebaden wordt vanzelf minder aantrekkelijk als je weet dat je veel minder snel bruin wordt dan vroeger, omdat het aantal pigmentvormende cellen in de huid met de leeftijd afneemt. Je moet veel meer moeite doen om even bruin te worden als vroeger, en waarschijnlijk lukt dat bovendien niet. Ook doet zonlicht een aanval op het collageen in de huid. Door zonlicht ontstaan er vrije radicalen, die het collageen beschadigen.

Ook zonder zon bereiken ultraviolette stralen de huid, zelfs op een bewolkte dag. Bescherm de huid daarom met een dagcrème met UV-filter. Gebruik in de zomer een hydraterende (vochtvasthoudende) crème. Bescherm de huid in de wintermaanden met een vette crème tegen uitdroging door wind en kou.

Groeimarkt 'rijpere huid'

Het aantal middelen voor de oudere huid (door de cosmeticafabrikanten versluierend 'de rijpere huid' genoemd) groeit nog steeds. Vooral het aantal antirimpelpreparaten is een enorme groeimarkt. Het is zeker de moeite waard om eens uit te zoeken wat er allemaal te koop is. Probeer wat je goed bevalt en ga er niet automatisch van uit dat wat duur is, ook goed moet zijn. Sommige vrouwen zweren bij de gewone Nivea-crème of de huismerken van drogisterijketens. Andere vrouwen geven een klein vermogen uit aan dure merken met status in prachtige potjes of tubes. Een kwestie van kiezen en proberen. Kijk ook eens rond bij de Hema, bij deze winkel zonder fratsen vind je tegenwoordig een groot aantal verzorgingsproducten met olijfolie, speciaal voor de 45-plus huid.

Gebruik in ieder geval dagelijks een product om vooral de gezichtshuid te beschermen tegen weer en wind en de invloeden van het milieu. En denk ook aan de huid van de hals, die soms sneller veroudert dan de huid van het gezicht, ook al omdat deze nogal eens wordt overgeslagen bij de dagelijkse verzorging.

Ook voor de lichaamshuid is het aantal middelen groeiende: er komen steeds meer antirimpelbodylotions en -bodycrèmes, of producten die versteviging van de lichaamshuid beloven. Hier geldt hetzelfde advies: kijk wat je bevalt en wat bij je portemonnee past (of wat je ervoor over hebt). Pas in ieder geval op met producten die alcohol bevatten en de huid kunnen uitdrogen.

Warm douchen en baden kan de huid nog droger maken, vooral wanneer je ook nog eens producten gebruikt die alcohol bevatten (sterk uitdrogende werking) of die de huid irriteren door toegevoegde geur- of kleurstoffen. Het kan gebeuren dat je merkt dat een jou vertrouwd doucheproduct plotseling niet meer voldoet. Jeuk na het douchen is een signaal dat je minder warm moet douchen en beter een ander reinigingsproduct kunt gebruiken, bijvoorbeeld een zeepvrije zeep, een heel milde doucheschuim of gel voor baby's of een hypoallergeen product met zo min mogelijk stoffen die de huid kunnen irriteren.

Behalve middelen die je uitwendig gebruikt, kun je ook proberen rimpelvorming van binnenuit te voorkomen. Zorg voor goede voeding, met voldoende mineralen en vitaminen.

Of het helpt is nog niet voldoende onderzocht, maar je kunt tegenwoordig een collageendrankje kopen bij de bekende drogisterijketens. Dit middel bestaat uit zakjes poeder, die je oplost in water. Er zijn ook cosmeticamerken die capsules verkopen om de huid van binnenuit te verbeteren.

HUIDPROBLEMEN:

Cellulitis

Cellulitis is een vorm van verkleving van de onderhuidse bindweefsel-structuur. Mede door een overmatige productie van het hormoon oestrogeen zwellen de vetcellen op en nemen deze in aantal toe. Het bobbelige uiterlijk van cellulitis is het gevolg van een abnormale ophoping in het bindweefsel van huid en onderhuid. Bij dit typisch vrouwelijke verschijnsel is er sprake van een ophoping van vet in de vetcellen van de onderhuid en van water eromheen. Naarmate de vet-cellen (*adipocyten*) groter worden, vervormen ook de omhulsels. Dit trekt aan de aanhechtingspunten aan de huid, waardoor het effect ont-staat van een gewatteerde deken. In dit stadium is het grootste pro-bleem dat het proces zichzelf onderhoudt doordat de bloedsomloop wordt verstikt.

De omringende bloedsomloop wordt geblokkeerd door afklemming van bloedvaten. Afvalstoffen kunnen niet meer worden afgevoerd, het onderliggende bindweefsel wordt als het ware ingekapseld. De huid wordt minder veerkrachtig en de gevreesde sinaasappelhuid wordt zichtbaar.

Cellulitis is een probleem dat al op jonge leeftijd kan ontstaan en dus zowel bij jonge als bij oudere vrouwen voor kan komen. Vrouwen heb-ben in tegenstelling tot mannen een dikkere onderhuidse vetlaag, omdat vrouwelijke hormonen de vetopslag bevorderen. Als er minder oestrogeen is, zou je theoretisch dus minder last van cellulitis moeten hebben, of zou het in ieder geval niet moeten verergeren. Andere oor-zaken zijn te vet eten, gebruik van alcohol, veel koffie en bepaalde geneesmiddelen. Mensen die last hebben van chronische obstipatie of chronische infectieziekten hebben extra veel kans op cellulitis, maar ook op vetrolletjes. Veel drinken (water!) en bewegen hebben een gun-stig effect.

Couperose

Een huid met couperose is gevoelig voor warmte en koude. Voorkom extreme temperatuurwisselingen zoveel mogelijk. Ga je uit de warme kamer naar buiten in de vrieskou of de snijdende wind, gebruik dan een vette crème. Ga niet in de zon zonder een zonnebrandmiddel of nog beter: bescherm je gezicht door een hoed met een brede rand. Er zijn verschillende behandelingen tegen couperose.

Blendmethode: de schoonheidsspecialiste kan couperose behandelen met de blendmethode. De rode adertjes krijgen kleine prikjes met een dunne naald, waarop zwakstroom staat. Zo schroeien ze dicht. Er zijn enkele behandelingen nodig, die gespreid kunnen worden over een aantal in het voorjaar en een nabehandeling in het najaar. Na de behandeling wordt de huid rood en kunnen er korstjes ontstaan. De roodheid en de korstjes trekken weg. De blendmethode is vooral geschikt voor kleine oppervlaktes. Voor grote couperoseplekken op de wangen is de laser geschikter.

Laser: de laser werkt krachtiger dan de blendmethode. Voor een enkel bloedvat, spinnetje of draadje is de blendmethode nauwkeuriger. De laser wordt toegepast door een huidarts (dermatoloog). Hij of zij zal eerst een consult afspreken voordat de behandeling wordt gestart. Na gebruik van de laser is de huid roder en zal er ook meer korstvorming optreden dan bij de blendmethode.

Hulp bij overgangsklachten

Voor hulp bij overgangsklachten ga je in eerste instantie naar je huisarts. Deze kan je eventueel doorverwijzen naar een andere hulpverlener of een gynaecoloog. Heb je pech en kun je met je huisarts niet goed over de overgang praten, dan hoef je niet in de kou te staan. Er zijn zelfhulporganisaties, overgangsconsulenten en centra voor bekkenbodem- en menopauzeklachten, waar je terecht kunt. Ook kun je door middel van een cursus of workshop informatie over de overgang krijgen.

Sommige ziektekostenverzekeraars (Achmea) organiseren in samenwerking met Care for Women gezondheidschecks (de Achmea Healthdagen), waarbij je onder meer je bloeddruk kunt laten meten en het cholesterolgehalte kunt laten bepalen.

Er is vrijwel altijd wel een mogelijkheid tot hulp bij overgangsklachten in je buurt. De activiteiten vinden niet alleen in de Randstad plaats: ook in Groningen of Zuid-Limburg vind je voorlichting of een luisterend oor.

Overgangsconsulente

De organisatie Care for Women leidt verpleegkundigen op tot overgangsconsulenten. Vrouwen kunnen zonder verwijzing van de huisarts een afspraak maken met de consulente om hun overgangsklachten te bespreken. Ook kan de consulente aan de hand van vragenlijsten het risicoprofiel vaststellen op ziekten die na de overgang kunnen ontstaan. De consulente kan de bloeddruk meten en er kan bloed worden geprikt op bloedsuiker en cholesterol. Meestal zijn drie bezoeken aan de overgangsconsulente voldoende om, gesteund door adviezen op het gebied van bijvoorbeeld voeding en leefwijze, weer verder te kunnen. Je hebt dan weer greep op de overgangsklachten gekregen.

De overgangsconsulenten bieden zelfstandige zorg, maar ze zijn via een contract aangesloten bij de organisatie Care for Women. Care for Women brengt ook eigen voedingssupplementen op de markt en geeft een eigen blad uit: *Women's Care*. Verschillende ziektekostenverzekeraars vergoeden de consulten.

Een afspraak met de dichtstbijzijnde consulente kun je maken via het centrale telefoonnummer (zie de adreslijst).

Alant Vrouw, centrum voor bekkenbodem en menopauze

Alant Vrouw is een medisch centrum dat gespecialiseerd is in de behandeling van bekkenbodem- en overgangsklachten. Alle specialisten en paramedici (fysiotherapeuten, verpleegkundigen) werken er onder één dak, en in principe hoef je er daarom slechts één keer je verhaal te vertellen. De inrichting is vrouwvriendelijk, zelfs de gynaecologische stoel kreeg een zacht kleurtje.

Het team van Alant Vrouw bestaat uit gynaecologen, een uroloog, een menopauzearts, een psycholoog/seksuoloog, incontinentieverpleegkundigen en bekkenbodemfysiotherapeuten. Het centrum is zelfstandig, maar werkt op een aantal terreinen samen met het UMC Utrecht. Kleine ingrepen (in de dagbehandeling) worden in het centrum van Alant Vrouw gedaan, bij wat complexere ingrepen worden afspraken gemaakt met de regionale ziekenhuizen.

De huisarts of specialist kan doorverwijzen naar Alant Vrouw; de kosten worden door vrijwel alle zorgverzekeraars vergoed. Zonder verwijzing kun je er ook terecht, maar dan zijn de kosten voor eigen rekening.

Het medisch centrum organiseert regelmatig informatiebijeenkomsten over de menopauze en de bekkenbodem. Ook is er een totaalprogramma met een combinatie van beide. Alant Vrouw is gevestigd in Zeist.

Zie ook: Bekkenbodem.

Inloopspreekuren VZG

De VZG (Vereniging Zelfhulp Gynaecologie organiseert in enkele provincies inloopspreekuren in de verschillende ziekenhuizen (zie voor een overzicht de website www.stichtingvzg.nl). Bij sommige ziekenhuizen ben je welkom na een afspraak vooraf, bij andere kun je zonder afspraak binnenlopen. Je krijgt altijd te maken met een ervaringsdeskundige van de VZG.

Stichting Anu

Helaas kampt de stichting Anu, expertisecentrum voor PPD, PMS en overgangsproblemen, met een subsidiestop. Dat betekent dat het landelijke centrum in Utrecht vanaf medio 2004 niet meer als centraal adres kan functioneren. De vrijwilligers die als ervaringsdeskundigen werken, blijven echter hun werk in het land doen. De website van Anu verwijst naar andere organisaties.
Informatie vind je op www.stichtinganu.nl

Cursussen over de overgang

In een aantal plaatsen worden cursussen of workshops over de overgang georganiseerd. Zo organiseert Thuiszorg Den Haag de cursus Menopauze Metamorfose. Gedurende drie weken bezoeken de deelneemsters wekelijks een bijeenkomst, waarin zij veel informatie over de overgang krijgen en ook zelf actief bezig zijn. De huiswerkopdrachten geven inzicht in de persoonlijke situatie: het gaat om zaken als voeding, beweging, stress en risicofactoren voor ziektes die na de overgang kunnen optreden. De cursusleiding bestaat uit een verpleegkundige verloskunde/gynaecologie en een in de overgang gespecialiseerde verpleegkundige van Care for Women.

Cursusleidster Lidwien Happel (48) vertelt: 'We streven ernaar dat de deelneemsters de werking van de overgang begrijpen en het verband met hormonen zien. Veel vrouwen weten eigenlijk niet dat de overgang betekent dat je van de vruchtbare naar de onvruchtbare fase gaat. Ook is het vaak nog te onbekend dat hormonen op het héle lichaam van invloed zijn. Als je weet wat er met je lichaam gebeurt, kun je de klachten anders ervaren. Niet dat je er dan geen last meer van hebt, maar je ervaart die last anders – je kunt er vaak beter mee leven. Het is belangrijk dat vrouwen inzicht krijgen in hun eigen situatie, dat ze weten wat er met hun lichaam gebeurt en wanneer zij de meeste last hebben. Waarom heb je opvliegers, ben je misschien depressief of heb je minder zin in seks? Elke cursusavond wordt afgesloten met een ontspanningsoefening. Op de tweede avond bespreken we het huiswerk: het voedingsdagboekje en de risicofactoren voor hart- en vaatziekten, borstkanker en botontkalking. In de pauze kun je, als je dat wilt, bloed laten prikken op bloedsuiker en totaalcholesterol en de bloeddruk laten meten. Eventueel adviseren we om naar de huisarts te gaan. Na de pauze bespreken we dan het omgaan met de gezondheidsrisico's. Je kunt bijvoorbeeld meer aan lichaamsbeweging gaan doen, of je voeding veranderen. Ook leren we de deelneemsters hoe ze zelf een borstonderzoek kunnen doen – gewoon liggend op de vloer met de kleren aan – en we doen oefeningen voor de bekkenbodemspier. Er gaan weer invuloefeningen mee naar huis, deze keer over lichamelijke activiteit – ook trappenlopen en stofzuigen tellen mee! – en over stress in het dagelijks leven. De laatste cursusavond draait vooral om de persoonlijke situatie: is er verband met de overgang, ben je tevreden met je situatie en wat kun of wil je eraan veranderen? Veel vrouwen willen wel veranderen, maar er kunnen bepaalde belemmeringen zijn: een lichamelijke beperking, tijd, financiën of de gezinssituatie. Vrouwen zitten vaak in een situatie waarin het huis bol staat van de hormonen: zijzelf in de overgang en pubers in huis! Daar komt dan vaak nog de verantwoordelijkheid voor de eigen ouders bij. Je zou grenzen moeten trekken, maar dat moet je leren. Hoe zorg je voor jezelf, waarom voel je je vaak afgeleefd aan het einde van een dag? Op deze avond beantwoorden we ook vragen die over de hele bandbreedte van de overgang kunnen gaan. En dan is er een evaluatie: wat heeft deze cursus jou opgeleverd? Dan benoemen de vrouwen hun metamorfose.'

Die metamorfose zit soms in kleine dingen die voor de persoonlijke leefsituatie grote gevolgen kunnen hebben. 'Zo was er een cursiste die het heel vervelend vond dat door stress alles haar te veel was en ze op haar werk regelmatig in tranen uitbarstte. Na afloop van de cursus zei ze: "Ik sta mezelf nu toe om soms te voelen dat ik het moeilijk vind en dat betekent ook dat ik het nu minder moeilijk vind." Een mooie uitspraak, en alleen al daardoor had ze minder last van huilbuien. Een andere vrouw ontdekte dat ze niets aan beweging deed: ze ging altijd met de tram naar haar werk, deed even een boodschap en ging dan thuis weer op de bank zitten. Zij heeft de fiets ontdekt: zij gaat nu op de fiets naar haar werk, geniet van het buiten zijn en ze gaat ook nog elke avond met haar man fietsen. En het mooie van haar metamorfose – door het fietsen ging ze zich beter voelen, ze besefte dat ze meer beweging nodig had en ze wil nu ook nog afvallen.'

Hypnotherapie

Hypnotherapie is een 'alternatieve' therapie, die gebruikmaakt van hypnose.

Dat klinkt misschien eng, maar dat hoeft het helemaal niet te zijn. Voor hypnotherapie is het niet noodzakelijk dat je in een diepe trance wordt gebracht. Je kunt er zelf 'bij' blijven en je hoeft niets tegen je zin te doen. Een hypnotherapeut heeft niets van doen met de 'hypnose-shows' waarin mensen onder invloed van hypnose opdrachten moeten uitvoeren die als enige doel hebben om de zaal aan het lachen te maken.

Hypnotherapie kan soms helpen om je inzicht te geven in je eigen functioneren. Soms weet je niet meer wat je allemaal overkomt. Er kunnen in deze levensfase zoveel dingen tegelijk spelen: lichamelijke en/of geestelijke klachten, je omstandigheden en het ouder worden.

Nina (52) volgde een driejarige beroepsopleiding hypnotherapie en koos de overgang als onderwerp voor haar eindscriptie. Het was voor haar logisch om de overgang als onderwerp te nemen, omdat ze er zelf veel last van had. Vooral de slaapproblemen vond zij vervelend.

Nina: 'Overgangsklachten blijken veelal gemedicaliseerd te worden. Tijdens het onderzoek voor mijn scriptie kwam ik zelfs de uitdrukking "meno-management" tegen… In plaats van de gebruikelijke medische benadering, stel ik een benadering met hypnotherapie voor. De over-gang kan namelijk ook als een positieve, natuurlijke fase in het leven van een vrouw worden beschouwd. Bij deze visie past de hypnothera-peutische benadering. Acceptatie van het hier en nu, van leeftijd, van uiterlijk en lichamelijke verschijnselen, kan het gevolg zijn van een reeks goed verlopen sessies. Hypnotherapie kan je in contact brengen met je eigen hulpbronnen en inzicht geven in je eigen functioneren. Eigenlijk weet je vaak onbewust wel wat goed voor je is, maar in de trance krijg je pas toegang, wordt het duidelijk. Daardoor kun je de overgang ook als positief gaan zien, als een uitdagende fase. Of ontdek je misschien wat je altijd al had willen doen of wat je zou willen veranderen.'

Een voorbeeld uit de praktijk: Emma, een werkende vrouw van 54 jaar, heeft sinds drie jaar veel last van opvliegers en van slaapproblemen. Ze heeft de laatste menstruatie al vijf jaar achter de rug. Haar ouders zijn kort na elkaar overleden, zonder dat Emma goed afscheid heeft kunnen nemen. Ze voelt zich nu alleen en het leven lijkt zinloos. Tijdens een sessie suggereert de hypnotherapeute Emma dat ze vanuit een zelfgekozen, veilige plek – een weiland – haar huis kan zien, haar innerlijke huis. Emma ziet een nogal verwaarloosd boerderijtje. Als ze met enige moeite binnen is, zit alles onder een dikke laag stof. De hypnotherapeute vraagt haar wie er bij het hekje staan. Emma ziet haar oma, daarachter staan haar ouders. Alleen haar oma mag naar binnen en wordt door haar hartelijk omhelsd.

In het nagesprek met de therapeute blijkt dat Emma niet wist dat ze haar innerlijke huis zo verwaarloosd had. Maar vanaf het moment dat ze haar oma zag, deed het huis er niet meer toe en veranderde haar bedrukte gevoel in een gevoel van ontspanning en liefde. De weken die op deze sessie volgen, is Emma erg opgelucht dat ze blijkbaar niet bang is om oud te worden.

In de volgende sessie ontmoet Emma haar moeder. Emma laat haar dichterbij komen, maar ze houdt wel een veilige afstand aan. Kennelijk is haar moeder bedreigend voor haar. De therapeute vraagt haar de moeder iets terug te geven wat niet van Emma zelf afkomstig is: haar angsten. De rode draad met haar moeder wordt doorgeknipt, maar er mag een nieuwe, dunne witte draad vanaf Emma's hart naar haar moeder lopen. Zij ervaart nu een gevoel van vrijheid, dat ze in haar hart wil bewaren.

In de derde en laatste sessie doet de hypnotherapeute een visualisatie waarbij Emma in een boslandschap haar totemdier – het dier dat je kracht geeft – mag uitnodigen om met haar mee te gaan. Emma ziet een hert dat ze tijdens een vakantie in Schotland heeft gezien.

Als de therapeute haar na een maand belt om te vragen hoe het gaat, heeft Emma nog steeds een gevoel van ontspanning. Ze heeft weer het gevoel dat ze leeft. Ze heeft nog wel opvliegers, maar minder. 's Nachts slaapt ze meestal gewoon door.

Nina over de effecten van hypnotherapie: 'Hypnotherapie is bij uitstek geschikt om mensen te leiden naar het besef dat ze goed zijn zoals ze zijn. Hypnotherapie kan met behulp van de beschikbare technieken vrede scheppen tussen de vrouw en haar verleden. Pijnlijke episoden worden gezien, erkend en geïntegreerd. Het verleden verliest zijn grote kracht op het heden, pijn en gemiste kansen krijgen hun plekje. De aandacht kan weer stromen naar het heden. En dan blijkt het heden ook voor een vrouw van middelbare leeftijd in orde te zijn. Leeftijd en de lichamelijke processen die erbij horen, worden geaccepteerd. Iemand als Emma heeft meer vrede gekregen met haar situatie, en meer energie om met het resterende deel van haar leven iets positiefs te doen. En de lichamelijk klachten zijn verminderd, of hebben minder invloed.'

Incontinentie

Ongeveer 1 op de 4 vrouwen van boven de 40 jaar heeft last van incontinentie, dat wil zeggen ongewenst urineverlies. Dat kan gaan om heel kleine beetjes bij lichte inspanning als snel lopen, hoesten of niezen, of om grotere hoeveelheden.

Wanneer er sprake is van kleine beetjes (druppelsgewijs), heb je last van *stressincontinentie*. Deze term betekent niet dat je onder stress zou staan en daardoor urine verliest, maar in dit geval wordt met stress de druk in de buikholte bedoeld. Stressincontinentie is lastig: het kan onverwacht en op alle momenten van de dag optreden, en het kan je bijvoorbeeld belemmeren om aan sport te doen. Activiteiten als traplopen of tillen zijn eveneens riskant, want ook daarbij kun je last hebben van urineverlies.

Normaal gaat niet alleen de inwendige druk in de buikholte omhoog bij lichamelijke inspanning of bij hoesten, lachen en niezen, maar ook de druk in de blaas. Daardoor trekken de bekkenbodemspieren en de sluitspieren in een reflex samen, met als gevolg dat de blaas en de plasbuis netjes worden afgesloten. Er is dan geen urineverlies.

Als de bekkenbodemspier en het steunweefsel zijn verslapt door bijvoorbeeld bevallingen en/of veranderingen in de menopauze, werkt dit mechanisme niet meer optimaal. De blaas en de sluitspieren aan de hals van de blaas en de plasbuis sluiten niet meer optimaal tijdens lichamelijke inspanning of tijdens andere activiteiten die de druk in de buik verhogen: lachen, niezen en hoesten.

Urge-incontinentie

Een andere vorm van ongewild urineverlies is die van *urge-incontinentie*. Een andere naam hiervoor is aandrangincontinentie. Hierbij kun je vaak aandrang hebben om te plassen, maar nog vervelender: je kunt die aandrang vaak niet onderdrukken en daardoor hele scheuten urine verliezen, tot zelfs volledig 'leeglopen'. Zonder incontinentiemateriaal red je het dan niet, want het gaat niet om een paar druppels.

Bij deze vorm van incontinentie is de blaas vaak al geprikkeld terwijl deze nog helemaal niet vol is. Er is sprake van te grote activiteit van de blaasspier. De druk in de blaas wordt te hoog en het is onmogelijk om de urine op te houden. Normaal trekt de blaaspier niet samen in de periode van rust of tijdens het ophouden van urine. In geval van aandrangincontinentie is een kleine prikkel (psychisch of lichamelijk) al voldoende om de urine te lozen. De oorzaken kunnen verschillend zijn. Een medisch onderzoek kan aantonen of er bijvoorbeeld sprake is van een ontsteking of van blaassteen.

Zie ook: Bekkenbodem; Urogenitale stelsel.

Lege-nestsyndroom

Nog niet zo lang geleden werden psychische overgangsklachten vooral toegeschreven aan het zogenaamde lege-nestsyndroom: de vrouw zou zich overbodig gaan voelen door het uitvliegen van haar inmiddels volwassen kinderen, en daardoor allerlei psychosomatische klachten ontwikkelen. Men ging toen uit van een niet buitenshuis werkende moeder, een standaardgezin en een standaardleeftijd om kinderen te krijgen. Tegen de tijd dat de kinderen 20 jaar waren, was de moeder zo ongeveer in de overgangsjaren beland.

Nog altijd zullen er vrouwen zijn die, ook als ze volop eigen interesses of werk hebben, moeite hebben met 'het lege nest'. Maar er zijn ook heel veel andere situaties denkbaar. In Nederland is de gemiddelde leeftijd waarop vrouwen hun eerste kind krijgen ruim 29 jaar. Tegenover de vrouw die al op haar 20ste een kind krijgt, staat de 'oudere moeder', die als ze 37 jaar is voor de eerste keer bevalt. Als haar kind 13 jaar is, is zij 50. Dan is er nog helemaal geen sprake van een al dan niet vermeend 'lege-nestsyndroom', maar wel van een kind in de puberteit en een moeder in de overgang. Dat geeft een heel andere situatie; soms heb je dan het idee dat er twee pubers in huis zijn. Zoals een cursusleidster zegt: 'Het huis staat dan bol van de hormonen' (zie: Hulp bij de overgang).

Het is ook heel goed mogelijk dat je als op-de-valreep-moeder in de overgang bent als je kind nog maar een peuter is! Ook vrouwen die vervroegd in de overgang komen, hebben soms nog kleine kinderen. Als moeder van een puber of peuter heb je met de kenmerken van een totaal andere leeftijdsgroep te maken, kenmerken die soms knap lastig kunnen zijn. In beide situaties kun je te maken krijgen met een soms dwars, opstandig kind. Voeg daarbij je eigen atypische overgangsklachten als stemmingswisselingen, boosheid of depressiviteit en de rapen zijn gaar!

Zie ook: Derde puberteit.

Menopauze

De menopauze betekent niets meer of minder dan de datum van de laatste menstruatie. Deze datum kan pas achteraf worden vastgesteld. Wanneer je een jaar niet gemenstrueerd hebt, mag je aannemen dat de laatste menstruatie inderdaad de menopauze was. Je bent dan nu in de 'postmenopauze', de periode na de laatste menstruatie. De voorraad eicellen in de eierstokken is uitgeput en de productie van estradiol, het belangrijkste oestrogeen, valt weg. De hypofyse zal de productie en afgifte van FSH (het follikelstimulerende hormoon) en van LH (luteïniserend hormoon) verhogen. Er is namelijk een doorgaande stimulatie met GnRG (*gonadotrophin-releasing hormoon*) vanuit de hypothalamus. De eierstok blijft nog wel een kleine hoeveelheid van een andere oestrogene stof produceren, het oestron. Ook wordt in het vetweefsel, de lever en de huid een stofje dat vooral uit de bijnierschors afkomstig is, omgezet in oestron. Daarom is er ook na de menopauze nog wel sprake van oestrogeenproductie in het lichaam, maar deze is sterk verminderd door het wegvallen van de productie van estradiol.
Zie ook: Hormonen.

Menstruatie

Tijdens de overgangsjaren verandert de menstruatie. De regelmaat verandert: de duur van de cyclus kan korter worden door de veranderde LH/FHS- spiegels in het bloed.

Na de eventuele verkorting van de menstruatie volgt er een verlenging door het uitblijven van de eisprong (*anovulatie*). In deze fase is er meer bloedverlies. De oorzaken voor deze overvloedige menstruatie (*hypermenorrhoe*) zijn het uitblijven van de eisprong (anovulatie), het tekortschieten van het LH-hormoon (*luteale insufficiëntie*) en een progesterontekort.

Simone: 'Nadat mijn menstruatie een halfjaar was weggebleven, kreeg ik opeens een bloeding die drie weken duurde. Juist omdat ik dacht dat ik de laatste menstruatie al achter de rug had, vond ik die langdurige bloeding verontrustend. Bovendien zou ik voor een hernia operatie het ziekenhuis in gaan, en zag ik het niet zitten om dan nog steeds ongesteld te zijn. Ik heb toen mijn huisarts gebeld, die meteen vroeg of ik langer dan een jaar niet gemenstrueerd had. Toen ik zei dat het nog geen halfjaar geleden was, constateerde ze dat ik nog niet in de menopauze was en dat deze langdurige menstruatie waarschijnlijk wel een van de laatste stuiptrekkingen van de overgang zou zijn. Eventueel kon ik medicijnen krijgen die een soort chemische curettage opwekken, maar dat bleek niet nodig: kort na dit telefonische consult stopte het vanzelf. Het bleek ook nog niet de laatste menstruatie, want na mijn herniaoperatie kwamen de menstruaties weer vaker, al zijn ze nog steeds onregelmatig.'

Uiteindelijk blijft de menstruatie helemaal weg. Dit is dan het moment van de menopauze, een moment dat je pas achteraf zo zult kunnen benoemen omdat je op het moment zelf nog niet weet dat dit je laatste menstruatie zal zijn.

In de overgangsfase tot de menopauze ervaren vrouwen gemiddeld vier jaar bloedingsproblemen. De tijd tussen de menstruaties wordt onregelmatig en de menstruatie kan hevig worden en vergezeld gaan van stolsels.

Stolsels

De menstruatie in de overgangsjaren kan stolsels bevatten. Dat is soms even schrikken, want het kunnen behoorlijke klonten zijn. Normaal maakt de baarmoeder een speciale stof aan, die de stolling van het menstruatiebloed voorkomt. Het bloed moet immers kunnen stromen om het lichaam te verlaten, samen met het afgestoten laagje slijmvlies van de baarmoederwand. Wanneer er echter veel bloed vrijkomt, wat kan gebeuren in de periode dat de hormonen veranderen omdat er geen of bijna geen eisprong meer plaatsvindt, kan de baarmoeder niet meer genoeg stollingsremmende stoffen maken. Zo kunnen soms vrij grote stolsels ontstaan.

Sommige middelen die de menstruatiepijn verminderen hebben tevens een werking die het bloedverlies vermindert: ibuprofen, naproxen en diclofenac. Paracetamol werkt alleen tegen de pijn (maar is wel een wat 'lichter' middel met de minste bijwerkingen).
Ga naar de huisarts als je niet zeker weet of de veranderingen in de menstruatie het gevolg zijn van de overgang.
Veel bloedverlies kan eventueel een ijzertekort veroorzaken. Zorg voor voldoende ijzer in je voeding: vlees(waren), groente, volkoren producten. Eventueel kun je de huisarts vragen om een onderzoek van het ijzergehalte in je bloed. Hierbij wordt het hemoglobinegehalte bepaald. Hemoglobine is de ijzer bevattende bloedkleurstof in je bloed.

> **Tip**
> Combineer een boterham met vleeswaren met een glas sinaasappelsap of eet wat fruit toe. Het ijzer uit je voeding wordt beter opgenomen als je tegelijkertijd vitamine c binnenkrijgt.

Moeder

Het is prettig als je met je moeder over de overgang kunt praten en haar ook kunt vragen wanneer zij in de overgang kwam en hoe zij die periode ervaren heeft. Bovendien is er vaak sprake van een erfelijke factor: als een moeder vroeg in de overgang komt, loopt de dochter ook kans vroeg in de overgang te komen.

Simone: 'Ik zou nog graag aan mijn moeder hebben gevraagd hoe zij de overgang heeft beleefd. Helaas is zij vier jaar geleden gestorven. Mijn jongste zus is nog niet in de overgang, mijn oudste zus woont in Frankrijk. Of je nog ongesteld bent of opvliegers hebt, is dan niet een onderwerp waar je door de telefoon meteen over begint. Bij ons thuis werd vroeger vrijuit gepraat over zaken als ongesteld zijn en kinderen krijgen. Ik had dan ook graag geweten hoelang mijn moeder nog gemenstrueerd heeft en welke overgangsklachten zij misschien heeft gehad.'

Ellen: 'Mijn moeder leeft nog wel, maar ze is helaas dement. Ik ben al blij dat ze me nog herkent. Over zaken als de overgang kan ik met haar echt niet meer praten en dat vind ik erg jammer.'

Joke: 'Mijn moeder is niet zo spraakzaam als het gaat om zaken als seksualiteit en de overgang. Maar ze wilde me wel vertellen dat zij vroeger bij opvliegers gauw even op het balkon ging staan om weer af te koelen. Ze wist ook nog precies in welke situatie ze er vaak last van had. Dat was als er bezoek kwam, kennissen van mijn ouders die wel eens op zaterdagavond kwamen kaarten. Dan deed ze haar best met hapjes en drankjes, ze had het op haar manier druk in de keuken en dat gaf stress.'

Myomen

Myomen (vleesbomen) zijn goedaardige zwellingen die zich ontwikkelen in de spierwand van de baarmoeder. Ze worden ook wel *fibromen* of *leiomyomen* genoemd. Naar schatting heeft veertig procent van de vrouwen in de vruchtbare leeftijd een of meer myomen. Blanke vrouwen hebben er minder last van dan hun donkere seksegenoten. Vleesbomen kunnen met de leeftijd in grootte en aantal toenemen. Heel vaak geven ze helemaal geen klachten en weet je daarom niet eens dat je ze hebt. Soms echter worden deze goedaardige gezwellen zo groot als een meloen, of zitten ze op een plaats waar ze vervelende druk veroorzaken op andere organen. Ze kunnen pijn en/of hevige bloedingen met grote stolsels veroorzaken. Als je last hebt van een of meer vleesbomen zal er nader onderzoek plaatsvinden door de gynaecoloog. De myomen kunnen operatief worden verwijderd. Deze ingreep wordt *myomectomie* genoemd. Soms wordt de hele baarmoeder operatief verwijderd (*hysterectomie*).

Er is ook een betrekkelijk nieuwe techniek, die minder ingrijpend is. Hierbij is slechts een kleine snede in de liesplooi nodig, waardoor een katheter in de slagader wordt geplaatst die wordt opgevoerd naar de baarmoeder. Via de katheter worden plastic of gelatinekorreltjes ingespoten in het bloedvat dat bloed toevoert naar de vleesboom. Dit bloedvat wordt hierdoor afgesloten en de vleesboom zal verschrompelen omdat er geen bloedtoevoer meer is.
Dit hele proces wordt tijdens de ingreep nauwkeurig in beeld gebracht en gevolgd door de specialist op het gebied van ingrepen in de bloedvaten: de interventieradioloog. Deze ingreep wordt *uterusembolisatie* genoemd. Door beide zijden van de baarmoeder gelijktijdig te behandelen worden alle aanwezige vleesbomen in één behandeling geëmboliseerd.
De techniek is minder ingrijpend dan de andere operaties die bij myo-

men worden toegepast, maar zoals bij elke medische ingreep zijn er enkele risico's.

Een enkele keer is na een embolisatie toch een verwijdering van de baarmoeder (hysterectomie) nodig doordat de baarmoeder beschadigd of geïnfecteerd raakt.

Vrouwen die nog menstrueren kunnen na een embolisatie de menopauze bereiken. Dit komt vooral voor als de embolisatie rond de leeftijd van 50 jaar wordt gedaan.

Overigens verdwijnen veel myomen na de menopauze vaak vanzelf. Omdat de hoeveelheid vrouwelijk hormoon (oestrogeen) die in het bloed circuleert, gaat dalen, kunnen de myomen spontaan verschrompelen. Als je echter ernstige klachten hebt door een of meer vleesbomen, kun je daar niet op wachten en is een ingreep vaak de beste oplossing.

Soorten vleesbomen

Medisch specialisten maken onderscheid tussen de verschillende soorten vleesbomen. *Subsereuse myomen* groeien aan de buitenkant van de baarmoeder. Zij zijn niet van invloed op de menstruatie, maar kunnen op andere organen gaan drukken. *Intramurale myomen* komen het meest voor; ze groeien binnen de baarmoeder. De baarmoeder voelt groter dan normaal. Deze vleesbomen kunnen pijn in het bekken of hevige menstruatie veroorzaken. *Submuceuze myomen* komen diep in de baarmoeder voor. Ook dit type vleesbomen veroorzaakt hevige menstruaties.

Oestrogeenreceptoren

In dit boek kom je af en toe de term 'oestrogeenreceptoren' tegen. Receptoren zijn ontvangers van de boodschappen die de hormonen sturen. Om gevoelig te zijn voor hormonen moeten weefsels deze receptoren hebben. Om de werking te verduidelijken worden receptoren wel vergeleken met een slot, waar oestrogeen als sleutel op past. Nog verfijnder is de volgende omschrijving: de oestrogeenreceptor is het slot op het DNA-molecuul waar die sleutel (oestrogeen) in past, zodat het weefsel vervolgens de opdracht kan gaan uitvoeren. Onderzoek heeft het bestaan van alfa-, bèta- en gammareceptoren aangetoond.

De aanmaak van oestrogeenreceptoren wordt bepaald door de hoeveelheid oestrogeen in het bloed. Ook zijn er progesteronreceptoren, die ontvankelijk zijn voor progesteron of progestagenen. De aanmaak van progesteronreceptoren is eveneens afhankelijk van de hoeveelheid oestrogeen in het bloed.

Oestrogeenreceptoren bevinden zich, zoals je misschien zou verwachten, in de baarmoeder, in het gebied van de vagina en de plasbuis (het urogenitale gebied), de borsten, maar ook in de huid, de hoofdhuid (zorgt voor de haren), de botten, de bloedvaten, de lever en de hersenen.

Het is daarom begrijpelijk dat een verlaagde oestrogeenspiegel heel wat veranderingen kan bewerkstelligen in het lichaam van een vrouw. Zie ook: Baarmoeder; Hormonen.

Oogklachten

Vrouwen in de overgang kunnen last krijgen van oogklachten.
Deze klachten lopen uiteen van droge, branderige ogen tot een teruglopend gezichtsvermogen of problemen bij het dragen van contactlenzen. In de medische vakliteratuur zijn er aanwijzingen dat oestrogeensuppletie een gunstige invloed heeft op problemen als te weinig traanvocht of ontsteking van het hoornvlies. Mocht je hormoonsuppletietherapie (HST) gebruiken, dan zou dit een prettige bijwerking kunnen zijn. Oogproblemen zijn echter geen reden om in eerste instantie naar HST te vragen, maar ze vereisen wel een bezoek aan de huisarts of opticien, eventueel gevolgd door de oogarts. De huisarts kan oogdruppels voorschrijven die het traanvocht aanvullen.
In de apotheek of bij de drogist kun je zonder recept middelen kopen die verzachtend kunnen werken op geïrriteerde ogen. Daartoe behoren enkele homeopathische middelen (vaak op basis van ogentroost of euphrasia) of middelen uit de fytotherapie. In de fytotherapie heeft blauwe bosbes de naam dat het de haarvaten versterkt en veroudering van de ogen tegengaat – het hoofdmiddel blauwe bosbes kan eventueel worden aangevuld met maagdenpalm of druivenpit.
Zit je veel achter de computer, informeer dan eens naar een speciale computerbril.

Opvliegers

Er bestaan vele benamingen voor de hittegolven die plotseling opstijgen en meestal als opvliegers worden aangeduid. In Vlaanderen spreekt men van 'warmte-opstoten'. Ook de term 'opstijgers' of het chique 'vapeurs' wordt wel gebruikt. Opvliegers behoren tot de typische overgangsklachten.

Uit Nederlands onderzoek blijkt dat 85 procent van de vrouwen rond de overgang last heeft van opvliegers. Bij het merendeel zijn deze klachten na twee jaar verdwenen, maar bij een kwart is dat pas na vijf jaar. Uit ander onderzoek komt naar voren dat de meeste klachten van opvliegers optreden in de eerste drie maanden na de laatste menstruatie.

(*Bron:* Geneesmiddelenbulletin *oktober 2002*)

Ellen duidt de opvliegers aan met '*my private summer*': 'Ook hartje winter krijg ik het plotseling bloedheet en transpireer ik alsof het hoogzomer is. Ik vind het wel een mooie uitdrukking eigenlijk en ik merk dat vriendinnen die term gaan overnemen.'

Simone werkt twee dagen per week in het onderwijs en merkt dat ze opvliegers krijgt als ze het druk heeft. 'Mijn collega's zeggen al: "Is het weer zover?" Ik heb veel collega's van ongeveer dezelfde leeftijd, dus we herkennen de verschijnselen. Soms zitten we tegenover elkaar te puffen. Ik zet dan altijd de verwarming lager en doe de ramen open. Tegen de tijd dat ik dat heb gedaan, is het alweer voorbij. Het duurt maar een minuutje. Verder trek ik altijd kleding in laagjes aan, zodat ik iets kan uittrekken. En je zult mij nooit in een trui met een col of een hoog boordje zien, dan krijg ik het echt benauwd.'

Mireille heeft altijd een waaier in haar handtas. 'Als ik een opvlieger krijg, pak ik gewoon die waaier en wuif me koelte toe. Ik doe het niet alleen in kleine kring, maar ik gebruik tegenwoordig ook een waaier tijdens een vergadering. In het begin kreeg ik wel wat spottend commentaar, maar daar trek ik me niets van aan. Beter een waaier dan aan de hormonen, is mijn overtuiging. Een tijdje geleden zag ik in een praatprogramma op televisie ook een Bekende Nederlander die rustig een waaier op tafel had liggen. Ik vond dat heel goed van haar!'

Koffie… of een sinaasappel?

Tip: Ga eens na wanneer de opvliegers optreden. Soms is er een relatie met voeding of bepaalde dranken. Specerijen of kruiden, koffie en alcohol kunnen de opvliegers verergeren. Sommige vrouwen merken een verheviging na het eten van citrusfruit (sinaasappel, mandarijn of grapefruit).

Ouder worden

Je kunt je afvragen of sommige klachten te maken hebben met de overgang, of dat ze meer een reactie zijn op het ouder worden. Sommige vrouwen hebben grote moeite met de uiterlijke veranderingen na hun dertigste of veertigste jaar. Als zij last krijgen van wisselende stemmingen of zelfs depressieve verschijnselen, is het nog maar de vraag of je de hormonen daarvan als oorzaak kunt noemen. Het is met allerlei kunstgrepen (plastische chirurgie, injecties met botox en dergelijke) mogelijk om een jeugdig uiterlijk te krijgen of te houden, maar het werkelijke verouderingsproces stop je er niet mee.

Als je in de overgang bent, ben je onherroepelijk geen 30 jaar meer, ook al voel je je vanbinnen, in je gedachtewereld, je belangstelling, vaak nog wel een dertiger. Je kunt echter merken dat je lichamelijk of geestelijk niet meer zoveel kunt als vroeger, dat je eerder moe bent en dat je geen nachten meer kunt doorhalen. Het kan je ook ergeren dat je omgeving je zo met je neus op de leeftijd drukt. Of je het wilt of niet, je wordt ouder en gaat een nieuwe fase in.

Simone: 'Ik heb wel eens moeite met de reacties van de jeugd, met de beperkingen die jongeren je willen opleggen. Toen ik 18 of 20 was, was iemand van 50 bijna bejaard. Maar er intussen zoveel veranderd, je zou denken dat het tegenwoordig anders is! Dat de jeugd er nog steeds zo tegen aankijkt, verbaast mij. Mijn kinderen laten mij duidelijk weten dat mensen van 50 jaar niet meer aan seks doen, dat heet bejaardenseks, een gepasseerd station! En als ik met mijn dochter ga winkelen, moet ik het niet wagen om naar een leren broek te kijken. "Mam, dat is niks voor jou," roept ze dan verontwaardigd. Dat maak ik zelf wel uit, al vind ik ook dat je je op je vijftigste niet overdreven jong moet gaan kleden. Maar stel dat die broek me goed zou staan en dat ik hem mooi zou vinden, dan zou ik hem gewoon kopen. Vroeger mocht ik een dergelijke broek niet dragen van mijn vader, en nu weer niet van mijn dochter… Aan de andere kant zegt mijn dochter dat ik dingen in mijn klerenkast heb hangen voor iemand van 150! Ach ja, je verlegt ook zelf meer je grenzen. Als er vroeger iemand van 75 jaar overleed, dacht je: Toch nog 75 geworden, een mooie leeftijd. Mijn vader is nu 87 jaar en ik denk: Als hij nog maar een paar jaartjes mee mag…'

Overgangsklachten: typische en atypische

De klachten die bij de overgang kunnen horen worden verdeeld in typische overgangsklachten en atypische overgangsklachten. Typische overgangsklachten zijn specifiek voor de overgang, aspecifieke klachten kunnen ook in een andere levensfase optreden.

Daarnaast zijn er verschijnselen die op de lange termijn kunnen ontstaan: botontkalking en hart- en vaatziekten. Het risico van deze ziekten wordt groter als een vrouw de menopauze heeft bereikt en niet meer voldoende wordt beschermd door oestrogenen.

Typische overgangsklachten zijn:
- vasomotore klachten (opvliegers, transpireren, hartkloppingen)
- menstruatiestoornissen
- urogenitale klachten (klachten van de urinewegen en geslachtsorganen)

Tot de atypische klachten worden gerekend:
- verminderd libido (geen zin in vrijen)
- stemmingsstoornissen
- spierpijn en gewrichtspijn
- angstgevoelens
- slapeloosheid
- concentratiestoornissen
- moeheid
- duizeligheid

Hoe ernstig zijn je klachten?
Artsen werken met vragenlijsten om het optreden en de ernst van de overgangsklachten te kunnen bepalen (bijvoorbeeld de *Kuppermann Menopauze-index* of de *Green Climacterium Scale*). Zo kunnen ze zich een beeld vormen van de mate waarin de klachten de kwaliteit van

leven beïnvloeden. Klachten kunnen worden onderscheiden in lichte, milde, ernstige of zeer ernstige klachten. Hoewel er criteria bestaan om de mate van de ernst van de klachten te bepalen, bijvoorbeeld het aantal opvliegers per dag, is de vrouw zelf degene die aangeeft hoe ernstig ze de klachten ervaart! De arts kan dat niet voor haar bepalen – en zou daarom ook niet mogen zeggen dat ze er maar mee moet leren leven. Helaas bestaat hier en daar nog steeds het clichébeeld van de betuttelende arts met zijn sussende opmerkingen tegen 'mevrouwtje'. Het is beter als de arts bereid is om mee te denken over mogelijke oplossingen. Gelukkig zijn er artsen met een juiste instelling en een goede kennis van de overgangsproblemen. Mocht je bij je huisarts niet goed terecht kunnen met je vragen, dan zijn er ook andere adressen. Zie ook: Hulp bij overgangsklachten.

Penopauze

De menopauze is exclusief voorbehouden aan vrouwen. Alleen vrouwen hebben zulke sterke hormoonwisselingen en moeten het na hun laatste menstruatie ook nog zonder voldoende circulerende oestrogenen stellen. Toch hebben sommige mannen ook een soort 'menopauze', wel eens schertsend penopauze of ook wel andropauze (afgeleid van androtestosteron) genaamd.

Mannen kunnen door de (geleidelijke) daling van testosteron wel last krijgen van symptomen die je met opvliegers kunt vergelijken: ze hebben het afwisselend warm en koud of transpireren. Er zijn zelfs medisch specialisten die pleiten voor een hormoonpleister voor mannen die erg veel last hebben van opvliegers.

Maar een echte menopauze hebben mannen niet: de daling van testosteron is veel geleidelijker dan de grote hormoonwisselingen die vrouwen meemaken.

Overigens kunnen ook mannen op middelbare leeftijd het moeilijk hebben. De 'midlifecrisis' is berucht als periode waarin mannen vreemde bokkensprongen kunnen maken. Zij moeten net zo goed met een aantal zaken in het reine zien te komen en accepteren dat ze niet meer tot de jongste behoren. En dan hebben ze vaak ook nog een vrouw in de overgang…

Roken

Roken heeft de bekende nadelen voor de gezondheid: het vergroot het risico van hart- en vaatziekten en het kan longkanker veroorzaken. Bovendien laat je niet-rokers ongewenst meeroken en lopen ook zij gezondheidsrisico's. De teksten op de pakjes sigaretten liegen er tegenwoordig niet om en drukken je hard met je neus op de feiten.

Door alle nadelige gevolgen voor je gezondheid zou je op deze 'wijze' leeftijd toch echt moeten stoppen, als je dat al niet jaren geleden hebt gedaan.

Voor vrouwen in de overgang heeft roken nog andere gezondheidsaspecten:

- Roken is van invloed op de leeftijd waarop de menopauze begint. Het kan de menopauze met een of twee jaar vervroegen.
- Roken kan opvliegers veroorzaken of maken dat je er vaker last van hebt.
- Roken is, net als overmatig alcoholgebruik, een risicofactor voor het ontstaan van botontkalking.
- Als je hormonen slikt voor je botten (geen indicatie die de voorkeur van huisartsen heeft, maar in de praktijk kunnen overwegingen gelden om toch hormonen voor te schrijven) werken deze minder effectief. Het gunstige (langetermijn)effect van oestrogenen voor je botten neemt af. Als je niet stopt met roken kun je later toch die dreigende heupfractuur krijgen.
- Als je hormonen slikt voor vasomotore klachten als opvliegers en nachtzweet, kan het roken ervoor zorgen dat het lijkt alsof de hormoontherapie niet aanslaat. De oestrogenen worden minder goed in je bloed opgenomen. Als je stopt met roken zal blijken dat de vasomotore klachten (opvliegers en transpireren) verminderen.

Seksualiteit

Misschien leek het op je 20ste een onmogelijke gedachte dat mensen boven de 40 of 50 jaar een seksueel leven hadden. Nu je zelf in een andere leeftijdsfase zit weet je wel beter, maar dat wil niet zeggen dat alles van een leien dakje gaat. Overgangsklachten zijn vaak niet erg bevorderlijk voor een plezierig seksleven. Daarbij komt dat je misschien zelf ook moet wennen aan een lichaam dat langzaam verandert of aan het veranderende lichaam van je partner. En natuurlijk is je seksuele ervaring gebaseerd op die van een half mensenleven en heb je misschien zowel positieve als negatieve ervaringen.

Zie je seks als een plicht of beleef je er plezier aan? Beleef je er meer plezier aan nu je misschien minder verplichtingen hebt of ben je juist blij dat de overgang een excuus vormt om eronderuit te komen? Moet je wennen aan de gedachte dat het na je 50ste nog steeds kan en 'mag'? Ben je juist opgelucht dat je niet meer bang hoeft te zijn zwanger te worden of twijfel je nog of je anticonceptie nodig hebt?

Er zijn veel overwegingen, bewust of onbewust, en dat geldt natuurlijk ook voor je partner. Heeft hij nog steeds zin, of heeft hij last van de middelbare-leeftijdblues? Is hij chronisch moe en hangt hij tegen een burn-out aan? Krijgt hij nog een erectie die een tijdje standhoudt? Natuurlijk zijn er allerlei hulpmiddelen en bestaat er zoiets als Viagra, maar seks is meer dan de som van enkele lichaamsdelen.

Hulpmiddelen hebben weinig zin als je relatie uitgeblust is of je eigenlijk wel blij bent dat het allemaal niet meer zo nodig hoeft.

Als je allerlei redenen hebt om seks niet (meer) leuk te vinden, zal het toepassen van een crème of gel voor de vagina weliswaar fysiek helpen, maar niet psychisch. Er zal mogelijk een knop in je hoofd om moeten om er (weer) plezier in te krijgen.

En misschien ga je juist in deze leeftijdsfase je relatie eens kritisch onder de loep nemen en kom je tot een conclusie die niet erg bevorderlijk is voor je seksleven. Er is tegenwoordig genoeg voorlichting over seks op 'rijpere leeftijd', maar de meeste vrouwen weten diep in hun hart wel waar het aan ontbreekt of juist niet aan schort. Daar heb je meestal geen boeken en buitenstaanders voor nodig, al kan bij echte problemen een seksuoloog misschien behulpzaam zijn.

Als het probleem echt lichamelijk is, bijvoorbeeld pijn bij het vrijen of last van contactbloedingen door een dunne en geïrriteerde vagina-wand, kun je baat hebben bij bekkenbodemtherapie door een gespeci-aliseerde fysiotherapeut of de toepassing van een plaatselijke oestro-geencrème of gel.

Zie ook: Bekkenbodem; Derde puberteit; Hormonen; Vagina; Weerzin; Woede.

Nicole (50): 'Ik word nog even vochtig bij de gemeenschap als toen ik 30 jaar was. Ook klaarkomen is geen enkel probleem. Maar het is een voordeel dat we elkaar alleen in het weekeinde zien. Mijn man werkt in Brussel en door de week heb ik alle vrijheid om met een bordje op schoot voor de televisie te zitten, met vriendinnen uit te gaan, mijn eigen leven te leiden. In het weekeinde is het dan wel weer spannend om samen te zijn, dan maken we er soms een feestje van.'

Catharine (54): 'Ik heb een verhouding met een man die misschien egoïstisch is, maar niet op seksueel gebied. Hij weet heel goed hoe hij mij moet verwennen. We zien elkaar een paar keer per maand en dat gaat heel goed, al een aantal jaren. Maar ik kan me voorstellen dat de situatie na een huwelijk van dertig jaar heel anders is. Dan zit je elkaar toch wat meer uitgeblust aan te kijken.'

Slapen

Slecht slapen kan worden veroorzaakt door vasomotore klachten: opvliegers en/of aanvallen van transpiratie die het in- of doorslapen belemmeren, soms ook hartkloppingen. Slecht slapen is op zich geen typische overgangsklacht, maar het kan wel voortkomen uit de typische overgangsklachten.

Als je gedurende langere tijd slecht slaapt ben je overdag moe en prikkelbaar, en dat zijn op zich ook weer veelgenoemde atypische overgangsklachten. Slecht slapen kan ook klachten als vergeetachtigheid en duizeligheid veroorzaken.

Als je 's nachts last hebt van opvliegers, zorg dan dat er een waaier, een glas water of een ventilator in de buurt is. Draag ruim, katoenen nachtgoed, liever geen krappe, synthetische kleding.

Misschien merk je dat opvliegers eerder optreden na het drinken van een warme drank of van alcohol. Vermijd deze dranken dan voordat je naar bed gaat. De aloude tip om voor het slapengaan een beker hete melk te drinken, geldt dan niet voor jou. Neem dan liever koude of lauwe melk.

Zorg voor beddengoed in laagjes – liever twee dunne dekens dan een dikke, zodat je een deken kunt afgooien. Of gebruik een licht zomerdekbed in plaats van een dikke winteruitvoering.

Lig je onder een open raam, houd dan in ieder geval het laken over je heen. Als je hevig transpireert, moet je daarna niet plotseling te veel afkoelen.

Lawaai en te veel licht kunnen je ook uit je slaap houden: misschien zijn slaapproblemen in de overgang een reden om nu eindelijk die te dunne gordijnen van een lichtdichte voering te (laten) voorzien.

Bekijk de inrichting van je slaapkamer met andere ogen; is je matras nog wel goed, is de slaapkamer niet te rommelig ingericht om prettig te kunnen slapen?

Ga je vooral niet liggen opwinden omdat je niet kunt slapen, dan kun je waarschijnlijk helemaal niet meer slapen. Bedenk dat je minder uren slaap nodig hebt als je ouder wordt. Misschien heb je helemaal geen slaapprobleem, maar heb je genoeg aan zes uur, terwijl je nog steeds denkt dat je acht uur moet slapen om voldoende nachtrust te krijgen. Ga dan wat later naar bed, misschien slaap je dan eerder in of beter door. Lukt het helemaal niet, ga er dan even uit en ga iets doen: eet of drink iets, pak een boek of doe een klein klusje. Grote kans dat je wel inslaapt als je het een uur later weer probeert.

Je kunt je huisarts om slaaptabletten vragen, maar probeer liever eerst de aloude huismiddeltjes als een avondwandeling voor het slapengaan (ga met je partner als je je 's avonds niet veilig op straat voelt) of een warm bad met etherische olie (bijvoorbeeld lavendel). Je kunt bij elke drogist of reformwinkel homeopathische middelen kopen die de slaap zouden bevorderen. Ook de fytotherapie heeft middelen om beter te kunnen slapen.

Toch naar de huisarts voor slaaptabletten? Wees dan beducht voor de bijwerkingen en neem het middel niet te laat in, om overdag niet als een zombie door het huis te scharrelen of half slapend op je werk te zitten.

Blijf vooral niet lang doorgaan met het gebruik van slaapmiddelen en vraag niet klakkeloos om een herhalingsrecept. Je kunt er namelijk aan verslaafd raken en dan ben je verder van huis. Als het goed is, zal je huisarts of je apotheek hier ook op letten, maar je bent natuurlijk ook zelf verantwoordelijk voor je medicijngebruik.

Benzodiazepinen

Bij ernstige slaapstoornissen worden vaak benzodiazepinen voorgeschreven, middelen die een stofnaam hebben die vaak eindigt op 'pam'. Deze 'pammetjes' behoren tot de meest voorgeschreven geneesmiddelen in Nederland. Bekende 'pammetjes' – er zijn er veel meer – zijn diazepam (merknaam Stesolid, Valium), lorazepam (merknaam Loridem, Temesta)en oxazepam (merknaam Seresta). Sommige middelen worden ook voorgeschreven bij angststoornissen.

Lees altijd goed de bijsluiter van deze middelen. De bijwerkingen zijn niet ernstiger dan van andere geneesmiddelen, maar in de eerste week van het gebruik moet je voorzichtig zijn met deelname aan het verkeer. Het middel kan invloed hebben op je reactievermogen. Heel soms treedt een tegenovergestelde reactie op: het middel werkt dan paradoxaal en veroorzaakt juist wat het moet verhelpen: woede-uitbarstingen, prikkelbaarheid of paniek. Als je stopt met het gebruik van deze middelen moet je rekening houden met het reboundeffect: de klachten die voor de behandeling bestonden, kunnen gedurende enkele dagen in versterkte mate terugkeren.

Benzodiazepinen hebben het nadeel dat je er lichamelijk afhankelijk van kunt worden. Je kunt dan last krijgen van ontwenningsverschijnselen. Ook heb je na verloop van tijd een hogere dosis nodig om hetzelfde effect te bereiken: er treedt tolerantie op. Gebruik deze middelen daarom niet langer dan enkele weken.

Stemmingswisselingen

Wisselende stemmingen horen op het lijstje van atypische overgangs-klachten. De verklaring hiervoor zou liggen in de hormoonwisselin-gen. Oestrogenen beïnvloeden namelijk bepaalde hersenfuncties die te maken hebben met het algemene gevoel van welbevinden. Ook in de hersenen zijn receptoren voor oestrogeen. Als er minder oestrogeen in de hersenen circuleert, kan dat leiden tot een verminderd gevoel van het algemene welbevinden.

Angst en neerslachtigheid worden vaak als overgangsklacht genoemd. Ook agressiviteit en seksuele lust (*libido*) worden mede bepaald door hormonen.

Overigens heeft ook progesteron invloed op stemmingen. Vrouwen die vertrouwd zijn met PMS-klachten (premenstrueel syndroom) weten dat ze zich in de periode voor de menstruatie vreemd en depressief kunnen voelen. De progesteronspiegel is dan hoog. Wisselende stemmingen zijn niet alleen vervelend voor jezelf, maar ook voor je omgeving. Opgroeiende kinderen zullen er zeker niet de humor van inzien. Ook voor je partner is het vaak moeilijk om te accepteren dat je plotselinge woede-uitbarstingen kunt hebben of 'zomaar' neerslachtig wordt. Het is te hopen dat hij enige kennis heeft van de overgang en een dosis tact en humor. Zo niet, dan kan de over-gang een periode zijn waarin je van elkaar kunt vervreemden.

'Mijn man zie ik denken, de kinderen kijken
Waar is toch die moeder van toen?
Dan leg ik ze uit dat ik echt ben veranderd
Ontreddering is nu alom
De drang om te leven, een stem diep vanbinnen
Ja… daaraan geef ik nu gehoor
De overgang brengt mij veel inzicht en wijsheid
Mijn leven – daar ga ik weer voor!'

(fragment uit 'Geef mij de ruimte' gezongen door De wisselende stemmingen,

gelegenheidskoor samengesteld uit bezoeksters van de website Vrouw en Overgang)

Stress

De overgangsjaren kunnen door talloze oorzaken veel stress veroorzaken, door de lichamelijke en geestelijke overgangsklachten, maar ook door de situatie waarin je misschien zit: met problemen met opgroeiende kinderen, een partner die in zijn middelbare jaren mogelijk ook niet zo gezellig is of zieke, oude ouders.
Zie ook: Derde puberteit; Depressie; Weerzin; Woede.

Stress hoeft niet altijd een negatieve betekenis te hebben. Een beetje stress is nodig om goed te functioneren. Als er te veel stress is, is de balans doorgeslagen naar de verkeerde kant. Je zult de stress dan herkennen in allerlei signalen die je lichaam geeft. Je lichaam vertaalt stress in bijvoorbeeld hoofdpijn, of vastzittende schouders en een stijve nek.
Probeer de oorzaak van de stress te herkennen en aan te pakken. En leer te ontspannen. Probeer het verschil te leren voelen tussen je lichaam in gespannen en in ontspannen toestand. Yoga en meditatie zijn methoden die je daarbij kunnen helpen. Je kunt proberen liggend in gedachten langs je hele lichaam te gaan. Waar voel je spanning, waar ontspanning? Een gebalde vuist is bijvoorbeeld een teken van spanning, als je de vuist openmaakt raak je de spanning kwijt. Probeer van voeten tot hoofd langs je lichaam te gaan en je te bevrijden van de spanning die je voelt. Als je in een situatie zit waarin je niet kunt gaan liggen (op je werk bijvoorbeeld) helpt het soms al om je eens flink uit te rekken en te geeuwen.
Een warm bad met wat druppels etherische olie (aromatherapie) wil soms ook helpen. Net als bewegen: een wandeling in de frisse lucht helpt echt, en is daarbij goed voor je botten.
Andere mogelijkheden om de stress aan te pakken:

Yoga: De diepe ademhaling die je bij yoga leert werkt heel goed bij opkomende stress. Als je de eerste beginselen onder de knie hebt, kun je deze ademhaling altijd en overal toepassen.

Tip

Heb je jaren geleden op zwangerschapsyoga gezeten? Probeer je dan de manieren van ademhalen van de cursus van toen voor de geest te halen. De diepe buikademhaling kalmeert bij spanningen.

Meditatie: Door te mediteren leer je los te laten en je te concentreren op één ding. Alledaagse ergernissen worden minder belangrijk en je leert relativeren. Mediteren kun je jezelf aanleren uit een boek of van een video, maar je kunt ook een cursus volgen.

Tai-chi: Tai-chi is een ontspannende vorm van bewegingsmeditatie. De vloeiende bewegingen die je bij tai-chi moet maken zijn gebaseerd op oosterse verdedigingstechnieken. De bewegingen zijn zo zacht en vloeiend dat je meer energie krijgt zonder dat je je hoeft (in) te spannen. Tai-chi heeft een kalmerende werking op je geest.

Transpireren

Transpireren behoort tot de typische overgangsklachten. Het is een klacht op vasomotorisch gebied, net als opvliegers en hartkloppingen. Veel vrouwen zijn voorbereid op transpiratieaanvallen en kleden zich in laagjes. Laagjes hebben twee voordelen: je kunt een laag (colbertje, trui, vest) uittrekken als het zweet je uitbreekt, maar als je een laagje aantrekt onttrek je mogelijke transpiratievlekken in bloes of T-shirt aan het oog. Er zijn namelijk maar weinig deodorants of antitranspiratiemiddelen bestand tegen een combinatie van opvliegers en transpiratieaanvallen.

Moet het altijd katoen zijn?
In de meeste boeken over overgang of over zwangerschap (ook in die periode van je leven heb je het eerder warm!) staat standaard het advies om kleding van natuurlijke stoffen te dragen: wol, katoen of zijde. Maar wol is lang niet altijd prettig: je kunt er bij overgevoeligheid de kriebels van krijgen en juist in een wollen trui kunnen de vlammen je uitslaan. Zijde is niet bepaald een praktische stof voor alledag. Blijft dan alleen katoen over?

Tip:
Neem altijd een kleine deodorant/antitranspiratiemiddel mee in je tas. Reisverpakkingen zijn heel geschikt door hun miniformaat. Of koop deodorantdoekjes om je onderweg of op het werk even op te frissen.

Sommige synthetische stoffen 'ademen' even natuurlijk als katoen en vragen veel minder onderhoud (strijken!). Probeer bijvoorbeeld eens hoe de stof viscose bevalt. Draag je kleding in laagjes, zorg dan vooral voor een ademend onderlaagje. Een synthetische bloes boven een katoenen hemdje is goed te doen, maar in een hemdje of T-shirt van een niet-natuurlijke stof zul je het waarschijnlijk eerder benauwd krijgen.

Nachtzweet

Nachtelijk transpireren kan goed slapen flink in de weg zitten.
Sommige vrouwen worden 's nachts drijfnat van het zweet wakker en
gaan zelfs midden in de nacht lakens verschonen. Als de klachten heel
ernstig zijn kun je proberen of fyto-oestrogenen helpen, of je kunt
eens met je huisarts gaan praten over hormoonsuppletietherapie.
Zie ook: Slapen.

Urogenitale stelsel

Met het urogenitale stelsel wordt het systeem aangeduid van geslachtsorganen en urinewegen. Urogenitale klachten behoren tot de typische
overgangsklachten: zij worden rechtstreeks veroorzaakt door het wegvallen van oestrogenen.

Het epitheel (de bekledende laag) van de vagina en van de plasbuis
(urethra) bevat oestrogeenreceptoren. Dankzij het oestrogeen blijft dit
epitheel dik en vochtig. Zonder oestrogenen veroudert deze bekledende laag, en wordt deze dun en droog. Dat kan verschillende gevolgen
hebben. De plasbuis kan sneller geïrriteerd zijn en je kunt last hebben
van pijn bij het vrijen.

De verminderde oestrogeenproductie kan leiden tot urogenitale atrofie (atrofie = veroudering door verschrompeling of verkleining) met
de bijbehorende urogenitale klachten: een droge vagina, jeuk, een
brandend of pijnlijk gevoel, afscheiding of klachten van de urinewegen zoals vaak moeten plassen of terugkerende urineweginfecties.

Zie ook: Bekkenbodem; Vagina.

Vagina

Als de bekledende epitheellaag van de vagina dunner en droger wordt kun je dat merken bij het vrijen. Het kan langer duren voordat je vochtig wordt. Maar je kunt ook pijn hebben bij de gemeenschap. De dunne slijmlaag van de vagina is gevoelig voor verwondingen. Bovendien verandert de zuurgraad van de vagina, waardoor deze gevoeliger wordt voor infecties. Normaal zijn de bacteriën in de vagina prima in staat de zuurgraad op peil te houden. Een daling van het oestrogeengehalte is echter ook van invloed op de flora in de vagina. Dit kan leiden tot extra afscheiding (witte vloed) en infecties.

Er zijn een paar maatregelen die je zelf kunt nemen. Je kunt bij de apotheek of drogist producten aanschaffen om de vagina vochtig te houden. Bij de gemeenschap kun je een glijmiddel gebruiken. Als dat niet voldoende is, kun je je huisarts vragen om plaatselijke hormoon-therapie. Als je verder weinig klachten hebt, hoef je geen hormonen te slikken, maar kun je meestal volstaan met plaatselijk werkende crèmes of gels.
Wanneer je last hebt van overmatige, vies ruikende afscheiding kan de huisarts je medicijnen voorschrijven.

Gebrek aan oestrogeen of gebrek aan opwinding?
Vochtig worden bij het vrijen heeft natuurlijk niet alleen met hormo-nen te maken. Er kunnen heel veel persoonlijke factoren een rol spe-len. Iedere vrouw weet zelf wel welke, daar ben je tenslotte 40 of 50 jaar voor geworden. Veel heeft te maken met de manier waarop je je relatie ziet, of waarop je die misschien in je overgangsjaren opnieuw beziet. En natuurlijk speelt ook je instelling ten opzichte van seks een grote rol.
Zie ook: Seksualiteit.

Vergeetachtigheid

Vergeetachtigheid wordt door veel vrouwen wel genoemd als overgangsklacht. Dat is niet zo vreemd: ook de hersenfuncties zijn gevoelig voor oestrogenen. Als er minder oestrogenen circuleren, kunnen bepaalde hersenfuncties een beetje veranderen. Je kunt dat merken aan gevoelens van woede (zie daar), maar ook aan de werking van het geheugen. De werking van het geheugen zetelt in de *hippocampus*. Samen met de *hypothalamus* en de *thalamus* maakt de hippocampus deel uit het limbische systeem – dit deel van de hersenen is onder meer verantwoordelijk voor beheersing en motivatie.

Mogelijk is er ook een verband tussen vergeetachtigheid en slaapproblemen als gevolg van opvliegers of nachtelijke transpiratieaanvallen. Als je slecht slaapt, heb je in ieder geval overdag een hoofd vol watten. Het is dan niet vreemd dat je dingen gaat vergeten.

De bekende tip om voorwerpen altijd op een vaste plaats te leggen, kan zoeken naar sleutels of je mobiele telefoon besparen. Ook lijstjes die je kunt afvinken zijn altijd handig. Of hang een ouderwets leitje in de keuken op en zorg voor een krijtje: je kunt dan meteen opschrijven wat je te binnen schiet.

Maak je je werkelijk zorgen over vergeetachtigheid, dan kun je natuurlijk met je huisarts overleggen. Je kunt ook een of meer geheugentests op het internet doen en kijken hoe je het ervan afbrengt.

Er zijn verschillende middelen die je bij de apotheek of drogist kunt kopen tegen vergeetachtigheid. Vaak gaat dit om homeopathische middelen of middelen uit de fytotherapie. Ze bevatten vaak ginkgo en/of ginseng. Of ze je echt zullen helpen, is een kwestie van proberen. Net als bij alle geneesmiddelen speelt ook hier het placebo-effect een rol: het feit dat je een middel slikt, kan je al het gevoel geven dat het helpt. Alle medicijnen, ook de reguliere, hebben een placebo-effect: een psychologisch effect doordat je iets tegen de klacht doet.

Sommige vrouwen merken dat een massage van de hoofdhuid helpt. Gezonde voeding, met veel groente en fruit en noten, zorgt in ieder geval voor de juiste vitamines en mineralen die mogelijk helpen. Ook vitamine B12 heeft een positieve werking op vergeetachtigheid en/of concentratieproblemen.

Als je merkt dat je vergeetachtig bent, kun je (tijdelijk) beter geen alcohol gebruiken.

Joke: 'Toen ik zwanger was, viel me op dat ik ook zo vergeetachtig werd. Ik stond bijvoorbeeld in de winkel om kaas te kopen en kwam thuis met vlees. Nu ik in de overgang ben, overkomen me dezelfde dingen. Ik houd het maar op hormonale schommelingen en ik denk dat het vanzelf wel beter zal gaan als mijn lichaam zich heeft aangepast aan de nieuwe situatie. En ik plak overal gele memobriefjes: op de koelkast, in de woonkamer, zelfs bij de voordeur – dat helpt!'

Antivergeetachtigheid tips:
- Gebruik minder alcohol: te veel alcohol tast het geheugen aan.
- Ga vaker lopen: een wandeling is ook goed voor je geest.
- Maak lijstjes, niet alleen met boodschappen, maar ook ideeën, plannen enzovoort.
- Probeer of mediteren helpt. Je leert daarbij je aandacht op één ding te concentreren. Mediteren kun je jezelf leren uit boeken of met behulp van video- of cassettebanden, maar je kunt ook een cursus volgen.
- Maak je vooral niet te boos over je vergeetachtigheid. Spanning kan namelijk ook zorgen dat je andere dingen vergeet.

Vitamines en mineralen

Veel volwassenen slikken uit voorzorg vitaminepreparaten, om er zeker van te zijn dat ze voldoende vitamines en mineralen binnenkrijgen. Over het algemeen gaat men ervan uit dat een gevarieerde voeding toereikend is om voldoende vitamines en mineralen binnen te krijgen. Alleen in bepaalde perioden van het leven zijn extra vitamines nodig; denk aan extra vitamine D voor kleine kinderen, foliumzuur voor zwangere vrouwen of vitamine D voor senioren.

In de overgangsjaren is het belangrijk te zorgen voor voldoende calcium en vitamine D voor de botten. Volwassenen zouden dagelijks 1000 mg calcium moeten binnenkrijgen, vanaf 50 jaar 1100 mg. Met drie tot vier porties zuivel (melk of karnemelk, yoghurt, vla, kwark, kaas) per dag kom je een heel eind.

Let ook op voldoende ijzer als je nog menstrueert en misschien veel bloed verliest. IJzer zit in vlees(waren), volkoren producten en groente. Het ijzer uit vlees wordt door het lichaam iets gemakkelijker opgenomen dan het ijzer uit plantaardige voeding.

Calcium zit in zuivelproducten, maar ook in groene bladgroente, broccoli en noten. Magere zuivelproducten leveren evenveel calcium als volle. Als je op vet let of aan de lijn doet, kun je dus net zo goed magere melk, yoghurt of kaas nemen. Als je weinig calcium in de voeding gebruikt, kun je eventueel calciumtabletten of sachets gebruiken, of met calcium verrijkte voedingsmiddelen eten of drinken.

Vitamine D zit in vette vis zoals haring en makreel – vette vis is bovendien ook nog eens goed voor je hart en bloedvaten vanwege de goede visvetzuren – boter, halvarine en margarine.

Vitamine D wordt ook in de huid zelf aangemaakt onder invloed van zonlicht. Een kwartier in de buitenlucht is al voldoende, ook in de winter.

Wel neemt het vermogen om zelf vitamine D te vormen wat af naarmate we ouder worden. Dat is een van de redenen dat mensen boven de 60 jaar extra vitamine D zouden moeten nemen.

Vitaminepreparaten

Vitaminepreparaten kunnen hoge doseringen vitamine bevatten. De meeste mensen zijn bezorgd over een vitaminetekort, maar ook voor een teveel aan vitamine moet je oppassen. Lees het etiket en kijk welke hoeveelheden vitamines en mineralen zijn toegevoegd. Alleen voor vitamine A en D gelden wettelijk geregelde maxima, voor de andere vitamines is de fabrikant niet aan een wettelijk maximum gebonden. De hoeveelheid van een vitamine of mineraal wordt uitgedrukt in procenten van de aanbevolen dagelijkse hoeveelheid (ADH). Een multivitaminetablet met niet meer dan de aanbevolen dagelijkse hoeveelheid (ADH) levert geen problemen op. Ook met een laag gedoseerd multivitaminepreparaat kun je nog te veel binnenkrijgen wanneer je dit combineert met een veelvuldig gebruik van verrijkte producten: voedingswaren waaraan de fabrikant extra vitamine heeft toegevoegd.

Vitaminetips

- Bedenk dat het slikken van vitamines het eten van bijvoorbeeld groente en fruit niet kan vervangen. Groente en fruit bevatten veel meer waardevolle stoffen, waarover het laatste wetenschappelijke woord nog niet is gezegd. Eet gevarieerd.
- Profiteer van het ijzer in je voeding door bij de maaltijd een glas vruchtensap te drinken of fruit te eten. Vitamine C bevordert de opname van ijzer.
- Vraag je af of je die – vaak ook dure – verrijkte voedingsmiddelen echt nodig hebt. Als je voldoende zuivel gebruikt, is het onzin om sinaasappelsap met extra calcium te kopen. Anderzijds: als je weinig melk, kaas of yoghurt binnenkrijgt, heb je mogelijk baat bij producten met extra calcium.
- Vitaminepreparaten (multivitamines) kun je eventueel gebruiken in een periode waarin je weinig of slecht eet, bijvoorbeeld tijdens of na een ziekte.

Voeding

Voeding is belangrijk om je fit en gezond te houden. Er is veel informatie over voeding en ook veel verschillende informatie; soms zie je door alle verschillende voorlichting door de bomen het bos niet meer. De spelregels gezonde voeding van het Voedingscentrum in Den Haag (vroeger Voorlichtingsbureau voor de Voeding geheten) zijn in ieder geval helder.

Gezond eten

Spelregels gezonde voeding
De volgende tien 'spelregels' geven in het kort aan waar het bij een gezonde voeding om gaat.

1 Eet gevarieerd

Er is niet één voedingsmiddel dat alle voedingsstoffen in voldoende mate bevat. Wie gevarieerd eet, krijgt alle stoffen binnen die hij of zij nodig heeft. Bovendien wordt het risico van eventueel aanwezige ongezonde stoffen gespreid.

2 Let op vet

Beperk het gebruik van verzadigd vet. Dit beperkt de kans op hart- en vaatziekten. Vet is wel nodig als bron van onverzadigde vetzuren, vitamine A, D en E, en energie.

3 Eet ruimschoots brood en aardappelen

Gebruik ruime porties brood, vooral volkoren, bruin en roggebrood, aardappelen, rijst, pasta (macaroni, spaghetti) en peulvruchten (bruine en witte bonen, kapucijners).

4 Eet volop groente en fruit

Door volop groente en fruit te eten, vermindert de kans op hart- en vaatziekten en sommige vormen van kanker. Als stelregel geldt: elke dag tweehonderd gram groente en twee stuks fruit.

5 Houd het lichaamsgewicht op peil

Een gezond lichaamsgewicht verkleint de kans op chronische ziekten. Eet verstandig en zorg voor lichaamsbeweging: in elk geval een halfuur per dag.

6 Wees zuinig met zout

Helemaal zonder zout kan ons lichaam niet. Maar het gaat dan om minimale hoeveelheden die van nature al in voedingsmiddelen voorkomen. Breng het eten liever op smaak met kruiden en specerijen.

7 Drink dagelijks ten minste anderhalve liter vocht

Het lichaam heeft volop water nodig. Wees wel matig met alcohol: neem niet meer dan twee tot drie glazen alcohol per dag en liever niet elke dag.

8 Eet niet de hele dag door

Drie hoofdmaaltijden per dag vormen de basis voor een gezonde voeding. Eet niet te vaak iets tussendoor, dat is slecht voor het gebit en het vergroot de kans op overgewicht.

9 Ga hygiënisch en veilig met voedsel om

Maag- en darmstoornissen, zoals misselijkheid en braken, duiden vaak op een voedselvergiftiging. Voornaamste oorzaak is het eten van besmet voedsel.

10 Lees wat er op de verpakking staat

Op de verpakking van voedingsmiddelen staat veel nuttige informatie over bijvoorbeeld de houdbaarheid, gebruikte ingrediënten, de voedingswaarde en de bereiding.

Bron: Voedingscentrum.

Sommige vrouwen merken dat ze in de overgang gevoelig zijn voor bepaalde voedingsmiddelen. Simone is voorzichtig met suiker. 'Ik gebruik weinig suiker, weinig zoetigheid, weinig frisdrank. Toen ik nog regelmatig ongesteld was, had ik PMS-klachten en ik merkte dat die erger werden als ik suiker gebruikte. Dan ging ik namelijk vocht vasthouden. Daarom ben ik altijd voorzichtig met suiker, ook nu ik in de overgang ben. Maar ik laat mijn glaasje wijn niet staan, ook al merk ik soms dat ik dan last krijg van nachtelijke transpiratieaanvallen.'

Zie ook: Vitamines; Voedingssupplementen.

Voedingssupplementen

Bij de apotheek, drogist en reformwinkel zijn allerlei zelfhulpmiddelen te koop tegen overgangsklachten. Deze middelen, die allemaal zonder recept verkrijgbaar zijn, vallen onder de voedingssupplementen. Meestal bevatten ze de zogenaamde fyto-oestrogenen, plantaardige hormonen uit bijvoorbeeld soja of rode klaver. Ook worden er combinaties van fyto-oestrogenen met vitamines op de markt gebracht, of vitamines met stoffen waarvan gezegd wordt dat ze helpen tegen vergeetachtigheid, concentratieproblemen en ouderdomsverschijnselen. De meeste middelen zijn niet echt goedkoop; teruggerekend van euro naar gulden – wat veel mensen boven de 40 jaar automatisch doen – kost zo'n tabletje nog aardig wat per dagelijkse dosering van 1 of 2 stuks. Of ze echt helpen of dat hun werking vooral te danken is aan een placebo-effect, is moeilijk te zeggen. Dat laatste is trouwens niet zo erg, want ook officiële, geregistreerde geneesmiddelen hebben altijd nog een psychologische werking, die je placebo-effect mag noemen. Als je geen hormonen wilt gebruiken en toch iets wilt doen aan milde overgangsklachten, zou je eventueel zo'n middel van de drogist kunnen proberen. Als het je lijkt te helpen, is dat meegenomen. Misschien zou je je ook beter voelen door meer ontspanning of meer beweging, naast goede voeding.

Houd in ieder geval de dosis vitamines in de gaten. Pas op voor megadoseringen van een aantal keren de dagelijkse aanbevolen hoeveelheden: niet alle vitamines kun je zomaar onbeperkt slikken. Een overdosering vitamine A bijvoorbeeld is schadelijk voor de gezondheid.

Bedenk bij de aanschaf van een middel tegen overgangsklachten dat de fabrikanten deze middelen zeker niet op de markt brengen uit menslievendheid. Hoe meer vrouwen in de overgang, hoe interessanter de markt. De vrouwen onder de babyboomers vormen daarom een aanlokkelijke doelgroep, zowel voor de officiële farmaceutische industrie (hormonen, medicijnen tegen botontkalking) als voor de fabrikanten van voedingssupplementen.

Zie ook: Fyto-oestrogenen; Vitamines en mineralen; Voeding.

Ellen slikte anderhalf jaar een voedingssupplement tegen overgangsklachten. Na een vakantie in Nieuw-Zeeland is zij met het gebruik gestopt. 'Ik begon met het middel toen ik merkte dat ik ook opvliegers kreeg als ik ontspannen televisie zat te kijken. Kijk, na het drinken van alcohol of koffie kun je verwachten dat de vlammen je soms uitslaan, maar als je gewoon lekker ontspannen naar een film zit te kijken? Dat vond ik vervelend. Een vriendin gebruikte dat middel, en toen heb ik het ook gekocht. Met de kerst ben ik drie weken naar Nieuw-Zeeland geweest. Ik had nog maar vijf tabletten, en ik heb ze thuis gelaten. Tijdens deze vakantie heb ik geen enkele keer last gehad van opvliegers. Het was dan ook een heel ontspannen vakantie. Misschien schiet je thuis af en toe toch in de stress, zelfs als je denkt dat je gewoon tv zit te kijken. Je gedachten staan immers niet stil. Nu ik alweer drie maanden thuis ben, zitten de vijf tabletten nog steeds op de strip. Ik heb geen behoefte om ze weer te gaan slikken. Ik zorg dat ik me voldoende ontspan, ik ga naar de sportschool, ik neem ATV-dagen op mijn werk en ga leuke dingen doen. Dat ik het af en toe nog warm krijg na het drinken van koffie of alcohol accepteer ik gewoon, maar ik slik er niets meer tegen. Ik sta er ook niet meer zo bij stil, volgens mij helpt dat ook.'

Voorbereiding

Dit boek kan je misschien helpen om je voor te bereiden op eventuele overgangsklachten en de verschijnselen van de menopauze. Als je weet wat je eventueel kunt verwachten, overvallen bepaalde klachten je niet zo en voel je je misschien zekerder. Voorlichtingsinstanties en het internet (zelfhulpgroepen, ervaringsdeskundigen, praatgroepen) kunnen ook veel herkenning en erkenning bieden.

Vroeger moesten vrouwen het zelf maar uitzoeken. Anna (81) weet nog heel goed hoe zij werd overvallen door de stemmingswisselingen van de overgang. Dat gebeurde in een tijd waarin er nog heel weinig voorlichting over dit soort onderwerpen bestond en zelfs vrouwen onderling nauwelijks over intieme zaken spraken. 'Toen ik een keer over mijn klachten probeerde te praten, zei zelfs mijn allerbeste vriendin: "Dat heb ik nooit." Dat zei ze op zo'n rare afgemeten toon dat het wel duidelijk was dat het onderwerp had afgedaan, mijn poging tot een gesprek ketste gewoon af. In mijn omgeving werd er in die tijd ook helemaal niet over de overgang gesproken. In mijn kringetje was het taboe. Je had toen nog maar net de Rooie Vrouwen, die begonnen voorzichtig over emancipatie en over de pil. Over de overgang hoorde je niets.'

Ze weet nog heel goed hoe ellendig ze zich voelde toen ze in een warenhuis in een Utrechts winkelcentrum in tranen uitbarstte. Ze was toen 48 jaar. 'Het was op een vrijdag en ik ging een of andere aanbieding kopen voor mijn dochter. Ik stond wat om me heen te kijken en zomaar ineens overviel het me: ik begon spontaan te huilen. Een mevrouw kwam op mij af om te vragen wat er met me aan de hand was en ik heb toen maar een smoes verzonnen over buikpijn. In het restaurant kwam ik weer een beetje tot mezelf. Het heeft me vreselijk dwarsgezeten dat mij dit nu overkwam. Ik vond het onbegrijpelijk – ik ben helemaal geen klaagster, ik ben het type niet om mezelf niet in de hand te hebben. Hoe kon mij dat nou gebeuren? Ik regelde thuis van alles omdat mijn man veel weg was voor zijn werk, ik stond vroeger op mijn werk bekend als een vrolijke Frans... Het erge was dat ik er zo onzeker van werd dat ik bepaalde situaties ging vermijden. Ik wilde niet dat anderen mij zielig zouden vinden. Ik voelde me vreselijk alleen, maar het zat er van huis uit ingebakken dat je je niet moest aanstellen, je moest flink zijn, niemand lastigvallen. Ik voelde me ook nutteloos omdat ik geen kinderen meer kon krijgen – dat had ik nooit van mezelf verwacht. Ik vroeg me af wat het leven nog voor waarde had.'

Uiteindelijk ging zij naar de huisarts omdat ook de lichamelijke klachten zoals het onregelmatige, hevige vloeien en het nachtelijke transpireren haar te veel werden. 'Ik kreeg oestrogeen, maar ik heb dat hooguit drie of vier maanden gebruikt. Ik was namelijk gevoelig voor vernauwing van de bloedvaten en ik kreeg pijn in de aders van mijn benen.'

Anna tobde nog enkele jaren door, totdat de verschijnselen verminderden en uiteindelijk verdwenen. 'Later, toen er wél meer over overgangsklachten gesproken werd, heb ik nog eens tegen een vrouw gezegd: "Het gaat over!" Ik vind het heel belangrijk dat vrouwen dat weten. Ik vraag me af of het aantal vrouwen dat in de overgang zelfmoord pleegde in die tijd niet opvallend hoog is geweest. Je hoorde toch wel eens over iemand die zich voor de trein had gegooid. Ik weet ook van een vrouw die zich het leven heeft benomen door van een brug te springen. De oorzaak kan toch heel goed een depressie door de overgang zijn geweest. Je voelt je zo diep nutteloos, eenzaam en verdrietig: het is een put waar je niet uitkomt. Maar het gáát over – dat merk je later in het leven ook. Er wordt steeds een bladzijde afgesloten en je komt weer in een nieuwe fase van het ouder worden. Ik vind het belangrijk dat vrouwen weten dat het overgaat en dat ze vooral niet met hun activiteiten moeten stoppen. Zelf heb ik vrijwilligerswerk gedaan voor de gehandicapten en voor de Vrouwenraad. En ik heb zolang dat lichamelijk ging, gezwommen en gesport. Maar ik heb me ook wel eens de verzorgster van mijn kinderen gevoeld en me afgevraagd: "Wat heb ík nou?" Wat dat betreft hebben vrouwen het tegenwoordig beter, vooral als ze leuk werk hebben. Laten ze hun werk of andere activiteiten vooral niet opgeven omdat ze denken dat ze met pensioen moeten. Er is geen leeftijdsgrens voor de dingen die je graag doet.'

Vroege menopauze

Gemiddeld hebben vrouwen in Nederland op de leeftijd van 51,4 jaar hun laatste menstruatie. 'Gemiddeld' wil zeggen dat er vrouwen zijn die de menopauze later bereiken, maar ook vrouwen die dat vroeger doen. Artsen spreken in dat laatste geval van 'premature menopauze'. In de vakliteratuur is men het niet helemaal eens over de definitie van een premature menopauze. Er wordt wel gerekend met 10 procent vroeger dan de gemiddelde leeftijd van 51,4 jaar, zodat een menopauze voor de leeftijd van 46 jaar als prematuur wordt gezien. Ongeveer 10 procent van de vrouwen heeft bij die berekening dan een premature menopauze.

Ook wordt in de internationale vakliteratuur 40 jaar als grens genoemd voor een premature menopauze. In dat geval zou 1 procent van de vrouwen een voortijdige menopauze hebben. De leeftijd van 38 jaar wordt in de Nederlandse medische literatuur ook wel eens als grens gehanteerd.

Er zijn medische argumenten om de menopauze voor het 46ste jaar als te vroeg te zien. De levensverwachting van vrouwen met een menopauze voor de leeftijd van 47 jaar is korter dan bij vrouwen met de menopauze op een latere leeftijd, er is een rechtstreeks verband met het aantal jaren dat de menopauze eerder optreedt. Vanaf het 47ste jaar is dat verband er niet meer.

Een premature menopauze kan een aantal nadelen voor de gezondheid hebben.

Het risico van hart- en vaatziekte is groter, en ook de kans op botontkalking wordt verhoogd.

Een premature menopauze kan daarom een indicatie zijn voor hormoonsuppletietherapie (HST). Hoe vroeger de menopauze optreedt, hoe groter de noodzaak van hormoontherapie. Aangeraden wordt om de HST te gebruiken tot de leeftijd van 51 jaar – de leeftijd waarop men 'normaal' in de overgang komt.

Vroege menopauze door operaties

Vrouwen bij wie niet alleen de baarmoeder is verwijderd (*hysterecto-mie*), maar ook de beide eierstokken, komen kunstmatig in de meno-pauze. Bij deze vrouwen zijn de risicofactoren voor hart- en vaatziek-ten en voor een ongunstige invloed op de botten nog sterker dan bij vrouwen die spontaan, dat wil zeggen op een natuurlijke manier, vroeg in de menopauze komen. Artsen zijn van mening dat deze zoge-heten *iatrogene* menopauze (iatrogeen = veroorzaakt door medisch ingrijpen) al voor de leeftijd van 51 jaar als te vroeg moet worden beschouwd. Als er bij een baarmoederverwijdering een eierstok is behouden, gaat de oestrogeenproductie nog wel door, maar toch zijn er aanwijzingen dat de functie van de eierstokken eerder stopt dan bij vrouwen die hun baarmoeder nog hebben. Ook dan zou hormoonthe-rapie een overweging kunnen zijn.

Als de eierstokken het onder de 40 jaar laten afweten

Een vroege menopauze heeft niet alleen lichamelijke gevolgen. Voor vrouwen die zo jong in de menopauze zijn gekomen dat ze normaal gesproken nog zwanger hadden kunnen worden, is het een zware dob-ber om te aanvaarden dat zij nu al onvruchtbaar zijn. Misschien heb-ben deze vrouwen nog een kinderwens. Soms denken ze zelfs dat de menstruatie uitblijft omdat ze zwanger zijn!

Bovendien kan het deprimerend zijn om bijvoorbeeld op je 39ste al het gevoel te hebben dat je lichamelijk gesproken tot de 50ers behoort. Je kunt een (zeer) vroege menopauze ervaren als het falen van je lichaam, alsof het je in de steek laat.

Als vrouwen al voor hun 40ste ervaren dat de menstruatie uitblijft spreken artsen van POF (*premature ovarian failure*). POF wil zeggen dat de eierstokken het te vroeg laten afweten. Onderzoek laat zien dat in 25 procent van de gevallen deze aandoening in families voorkomt en dominant overerfelijk is. Het is helaas niet of nauwelijks mogelijks de functie van de eierstokken met geneesmiddelen te herstellen. Toch laat onderzoek ook een lichtpuntje zien: van de vrouwen met POF bleek 5 tot 10 procent toch nog een spontane kans op zwangerschap te hebben, terwijl het risico van een miskraam niet noemenswaard verhoogd was.

Informatie en steun

De vereniging Freya, een patiëntenvereniging voor vruchtbaarheidsproblematiek, geeft informatie aan vrouwen die vervroegd in de overgang zijn gekomen en nog een kinderwens hebben.
De website Vrouw en Overgang biedt ook lotgenotencontact (zie de adreslijst).

Vruchtbaarheidsmedicijnen

Hoe gek het ook klinkt, vrouwen na de menopauze kunnen hun steentje bijdragen aan de vruchtbaarheid van andere vrouwen. Uit de urine van vrouwen vanaf 55 jaar kan namelijk *humaan menopauzegonadotrofine (hMG)* worden gehaald, een stof die de vruchtbaarheid van de vrouw kan verbeteren. (Bij zwangere vrouwen gaat het om een andere stof, *humaan choriongonadotrofine (hCG)* genaamd, die alleen in de eerste vier maanden van de zwangerschap in voldoende mate in de urine aanwezig is.)

In sommige delen van het land doen vrouwen vanaf 55 jaar dan ook mee aan Moeders voor Moeders, de organisatie die bekend is door het ophalen van de urine van zwangere vrouwen om er de grondstof voor medicijnen uit te maken die gebruikt worden bij IVF-technieken.

De urine van vrouwen vanaf 55 jaar dient als grondstof voor het middel Humegon, een medicijn dat de eirijping stimuleert. Meedoen aan Moeders voor Moeders kan onbeperkt tot op zeer hoge leeftijd, sommige vrouwen doen al meer dan dertig jaar mee. Ter vergelijking: zwangere vrouwen kunnen hooguit tien weken meedoen (vanaf zes tot zestien weken zwangerschap).

De ondergrens van 55 jaar is ingesteld om er zeker van te zijn dat de vrouw de menopauze heeft bereikt. De urine bevat dan voldoende hMG om als grondstof voor medicijnen te dienen. De urine wordt twee keer per week ingezameld in discrete, grijze flessen. Deelneemsters ontvangen twee keer per jaar een cadeautje en daarnaast een zeer bescheiden financiële vergoeding.

Meer informatie en aanmelden: Moeders voor Moeders, tel. 0800-0228070.

Ria (56 jaar) vertelt: 'Ik doe nu al weer anderhalf jaar mee aan Moeders voor Moeders. Ik vond het wel een prettig idee dat mijn plasje gebruikt kon worden voor medicijnen die jonge stellen kunnen helpen. Dat is toch beter dan het zomaar weg te spoelen. Zo voel ik me nog nuttig – en dat gevoel kan ik juist op deze leeftijd goed gebruiken.'

Weerzin

Weerzin is geen overgangsklacht die je zult tegenkomen in het bekende rijtje van de typische overgangsklachten, zoals onregelmatige of hevige menstruaties, opvliegers en nachtzweten. En ook als 'atypische overgangsklacht' is het ervaren van weerzin minder bekend dan bijvoorbeeld slaapproblemen of vermoeidheid.

Charlotte (49), een van de initiatiefneemsters van de in 2001 gelanceerde website Vrouw en Overgang, weet uit ervaring wat weerzin in de overgang inhoudt. Toch duurde het nog een hele tijd voordat zij ontdekte dat weerzin de oorzaak was van haar paniekaanvallen. Ze kon opeens de dingen niet meer aan die ze jarenlang automatisch gedaan had. 'Zoiets overkomt je gewoon', zegt ze.

'Je kunt weerzin voelen op allerlei gebieden: je werk, je partner, de zorg voor je kind. Het is de opgebouwde verantwoording die je door de jaren op je genomen hebt. Je wilt een stap terugdoen, om het antwoord te vinden op de vraag die bij je opkomt: Wil ik al die verantwoordelijkheden nog wel?

Zelf was ik jarenlang "de vrouw van" geweest. Ik vond het vanzelfsprekend om, naast mijn eigen werk, van alles te organiseren: het vermaken van de vrouwen van zakenrelaties van mijn man, de etentjes, de concertbezoeken. Tijdens een dergelijk concert kreeg ik mijn eerste paniekaanval. Ik was toen nog geen 40 jaar, ik begreep het niet: wat gebeurde er met me, wat ging ik nou krijgen? Ik moest en zou de zaal uit terwijl het concert nog in volle gang was. Ik moest naar huis! In mijn vertrouwde omgeving zakte het gevoel van paniek een beetje. De dokter werd erbij gehaald, maar die begreep niet dat het met de overgang te maken had. Ik zou me wel te druk hebben gemaakt en moest maar een paar dagen rust nemen. Artsen krijgen nog steeds in hun opleiding mee dat overgangsverschijnselen rond de 50 jaar spelen, ze weten kennelijk nog steeds niet dat ze al vanaf 35 jaar kunnen beginnen. Ook bedrijfsartsen en keuringsartsen zijn bedroevend slecht op de hoogte, zo merkte ik later. Uiteindelijk kreeg ik wat nu een burn-out wordt genoemd. Ik noem het in mijn geval liever een overgangs-burn-out! Op een gegeven moment kreeg ik in de gaten dat er weerzin aan een paniekaanval voorafging: bah, alwéér naar mijn werk, alwéér dat huishouden. Als ik dat gevoel van weerzin negeerde, kwam de paniekaanval. Ik moest die weerzin niet ontkennen, ik moest ernaar luisteren en er wat mee doen.

Dat was niet gemakkelijk. Het heeft me een echtscheiding en mijn baan gekost. Maar uiteindelijk is het goed zoals het nu is. Door mijn eigen ervaringen herken ik nu de weerzin bij veel vrouwen die contact leggen via de website Vrouw en Overgang. Vaak zien wij vrouwen binnenkomen met het gevoel dat alles hun te veel is. Alle verantwoor-delijkheden die ze altijd gedragen hebben, kunnen ze gewoon niet meer aan. Je ziet wel eens dat vrouwen die zich jarenlang voor 100 procent gegeven hebben aan huishouding en opvoeding ineens de maatschappij in willen. Terwijl vrouwen die zich altijd ingezet hebben voor een baan daar opeens genoeg van hebben. Het is alsof ál deze vrouwen zeggen: "Laat een ander het maar eens overnemen! Ik wil niet langer meer geleefd worden!"

Werk

Als je buitenshuis werkt, zul je in de overgang misschien ervaren dat de combinatie werk en overgangsklachten niet altijd even geslaagd is. Het is niet zo prettig met een rood hoofd of hevig transpirerend bij een vergadering te zitten of voor de klas te staan. Of om zo hevig te menstrueren dat je niet weet hoe je deze 'dijkdoorbraak' voor je omgeving verborgen moet houden.

Probeer rekening te houden met bepaalde overgangsklachten en zorg dat je (als je nog menstrueert) op je werk altijd een voorraadje tampons, inlegkruisjes of maandverband hebt. Deodorant, deodoekjes en een fris geurtje geven wat meer zelfvertrouwen in hachelijke situaties. Voor stemmingswisselingen bestaat helaas geen geestelijk maandverband. Misschien heb je het geluk dat je collega's iets van de overgang begrijpen, maar het kan ook anders. Wat als je de enige 'rijpere' vrouw bent tussen allemaal jonge meiden? Of als je als enige vrouw tussen allemaal jonge mannen werkt, bijvoorbeeld als receptioniste bij een garagebedrijf? Wat weten die 'jonkies' nu van een vrouw in de overgang? Als je geluk hebt, zijn ze gewend aan een moeder met overgangsverschijnselen, maar al te vaak zullen ze er niets van begrijpen. Sommige vrouwen vinden dat er eigenlijk zoiets als een 'overgangsverlof' zou moeten bestaan, om een 'overgangsburn-out' te voorkomen. Een feit is dat overgangsklachten vrouwen soms thuis kunnen houden. Niet zo vreemd als je bedenkt dat 80 procent van de vrouwen overgangsklachten ondervindt.

Als je merkt dat je je werk niet meer zo prettig vindt (en je het financieel niet echt nodig hebt) kun je ook overwegen het roer om te gooien. Je kunt misschien minder uren gaan werken en meer tijd aan jezelf besteden. Er zijn vaak regelingen die het mogelijk maken dat je zonder al te veel inleveren minder uren kunt draaien (regelingen voor oudere werknemers, extra ATV-dagen). Benut ze, ze zijn er ook voor jou!

Zie ook: Stemmingswisselingen.

Woede

Gevoelens van weerzin kunnen samengaan met gevoelens van woede. Charlotte, een van de initiatiefneemsters van Vrouw en Overgang, ervaart dat vrouwen vaak worstelen met dergelijke gevoelens en bang zijn voor hun eigen woede-uitbarstingen. Misschien is dat over tien of twintig jaar anders. De vrouwen die nu in de overgang zijn hebben meestal een opvoeding gehad waarin het voor een meisje niet paste om woedend te worden. 'Als meisje heb je geleerd lief en zorgzaam te zijn, en ook volgzaam. De woede in jezelf heb je niet toegelaten, die komt in de overgang naar boven. Dat is hormonaal bepaald: het woede-centrum in de hersenen wordt gecontroleerd door de hypothalamus en de hypofyse. Nu er minder oestrogenen circuleren, kan die woede omhoogkomen. Geef je eraan toe, dan leidt dat uiteindelijk tot positieve krachten, tot nieuwe energie. Maar als je de woede in jezelf onderdrukt, kan dat mede een oorzaak worden van een lamgeslagen gevoel, van depressie. Ingehouden woede is niet gezond: achter woede zitten emoties, die je een kans mag geven. Het is misschien wel beangstigend om de woede in jezelf toe te laten. Je kunt het gevoel krijgen dat je ontploft van woede, dat alle remmen losgaan en dat kan weer schuldgevoel geven – uiteindelijk zijn je ouders, je man of je kinderen toch wel lief, waarom word je dan zo kwaad? Maar als je die woede toestaat, geeft dat een heel bevrijdend gevoel en uiteindelijk leidt dat tot opbouwende emoties voor jezelf en je omgeving.'
Voor dit proces hebben vrouwen volgens Charlotte rust, ruimte en vertrouwen nodig, zodat ze kunnen leren omgaan met alle veranderingen in zichzelf. 'Het is alsof ze hun rugzakje met de geestelijke bagage van een half mensenleven opnieuw mogen leggen. Ze kunnen alles wat daarin zit bekijken, opruimen en aanpassen aan de nieuwe fase in hun leven'.

Zelftests

Als je de pil slikt weet je niet of je al in de overgang bent. Je hebt dan immers geen echte menstruatie, maar onttrekkingsbloedingen die altijd netjes op tijd komen, namelijk in de stopweek van de pil. Als je de pil niet slikt, kunnen onregelmatige menstruaties op de overgang wijzen. Hoewel de pil overgangsverschijnselen kan maskeren, is het toch mogelijk dat je wel last van opvliegers hebt. Dit zou een reden kunnen zijn om te vermoeden dat je in de overgang bent.

Bij de apotheek kun je een zelftest kopen om na te gaan of je in de overgang bent . Deze test meet het gehalte follikelstimulerend hormoon (FSH) in de urine. Als de eicellen opraken produceren de eierstokken minder oestrogeen. Door het lage gehalte oestrogeen wordt de hypofyse gestimuleerd om meer FSH af te scheiden.

Als het gehalte FSH verhoogd is, ben je waarschijnlijk in de overgang. Eén keer testen is overigens niet genoeg om te weten of je in de overgang bent. Je moet de test minstens een keer herhalen, want het FSH-gehalte is wisselend in de overgangsperiode. Als het FSH-gehalte structureel verhoogd is, mag je aannemen dat je in de overgang bent. Zeker weten doe je het niet, alleen op basis van het FSH-gehalte kan de diagnose overgang niet worden gesteld.

De uitslag van de zelftest is geen reden om meteen met anticonceptie te stoppen. Pas een jaar na de laatste menstruatie (die je met de pil dus niet echt kunt bepalen) kun je stoppen met anticonceptie. Als je onder de 50 jaar bent, is het verstandig om nog twee jaar door te gaan met pilgebruik.

Zie ook: Anticonceptie; Hormonen.

Vragenlijsten

Behalve de zelftests die je in de apotheek of bij de drogist kunt kopen, zijn er ontelbare zelftests die je via het internet kunt doen. De verschillende vragenlijsten kunnen je helpen bij het vaststellen of je inderdaad in de overgang bent of bij het bepalen van de kans op de ziektes die na de overgang kunnen ontstaan. Je kunt bijvoorbeeld tests doen om het risico van botontkalking, borstkanker en hart- en vaatziekten te bepalen.

De vragen die je met ja beantwoordt geven een risico aan.

Voor botontkalking zijn bijvoorbeeld risicofactoren:

Ik heb een blanke huid of ben van Aziatische afkomst

Ik heb een nier- of leverziekte gehad.

Ik ben dun en heb kleine botten.

Ik drink meer dan 3 koppen koffie per dag.

Ik leid een zittend leven of heb een zittend beroep.

Aan de eerste drie factoren kun je uiteraard weinig veranderen, maar je kunt wel je leefwijze aanpassen: minder koffie drinken en meer bewegen.

Zelftests kunnen je enig inzicht geven in je levensstijl en in de risicofactoren die bij jou passen. Niet alle risicofactoren kun je zelf aanpakken. Voor een verhoogd cholesterolgehalte of een verhoogde bloeddruk is het aanpakken van je levenswijze niet voldoende; je kunt medicijnen nodig hebben en een bezoek aan de huisarts is dan ook aan te raden. Een overzicht van zelftests vind je op gezondheidstest.pagina.nl.

Nuttige adressen

Alant Vrouw
Postbus 119
3700 AC Zeist
Tel. 030 6934080
www.alantvrouw.nl

Anu
Expertisecentrum overgang, PPD en PMS
Nieuwegracht 24 A
3512 LR Utrecht
www.stichtinganu.nl

Bekkenbodemproblemen
Stichting Bekkenbodem Patiënten, tel.0900-1111999
www.bekkenbodem.net

Care for Women
Postbus 137
3800 AC Amersfoort
Tel. 0900 1481
www.careforwoman.nl

Freya (vruchtbaarheidsproblemen en vervroegde overgang)
Postbus 476
6600 AL Wijchen
Tel. 024 6451088
www.freya.nl

Landelijke Stichting VZG (Voorlichting Zelfhulp Gynaecologie)
Nieuwegracht 24 A
3512 LR Utrecht
www.stichtingvzg.nl

Osteoporose Stichting en Vereniging
Postbus 430
5240 AK Rosmalen
Tel. 073 5219445
www.osteoporosestichting.nl

Nederlandse Vereniging voor Fysiotherapie bij Bekkenproblematiek
(voor adressen gespecialiseerde fysiotherapeuten)
www.nvfb.nl

Nederlandse Hartstichting
Postbus 300
2501 CH den Haag
Informatielijn: 0900 3000300
www.hartstichting.nl

Nederlandse Kankerbestrijding/Koningin Wilhelminafonds
Postbus 75508
1070 AM Amsterdam
Tel. 020 5700500
KWF Hulp- en informatielijn: 0800 0226622
www.kankerbestrijding.nl

Stichting Vrouwen en Medicijngebruik
Tel. 040 2121746 (maandag t/m donderdag van 10.00 - 14.00 uur)

Vitamine Informatie Bureau
TNO voeding
Postbus 360
3700 AJ Zeist
www.vitamine-info.nl

Voedingscentrum
Postbus 85700
2508 CK Den Haag
Tel. 070 3068888
www.voedingscentrum.nl

OVERIGE WEBSITES:

www.dokterdokter.nl
www.gezondheid.be
www.gezondheidsnet.nl
www.gezondheidsplein.nl
www.menopauze.pagina.nl
www.menopauzeonline.be
www.nvog.nl
www.overgangsconsulente.nl
www.overgangsproblemen.nl
www.vrouwenovergang.nl

Geraadpleegde literatuur

Bijl, drs. D. en dr. F.M. Helmerhorst, *Preventieve postmenopauzale oestrogeensuppletie*, Geneesmiddelenbulletin, juli 2002, jaargang 35, nummer 7

Engels, E. en prof. dr. A.A. Haspels, *Een behandeling van postpartum-depressie* (PPD), Tijdschrift voor Huisartsengeneeskunde, jaargang 20, nr. 9, september 2003

Helmerhorst, Dr. F.M. en drs. D. Bijl, *Behandeling van overgangsklachten*, Geneesmiddelenbulletin, oktober 2002, jaargang 36, nummer 10

Horst, Nina van der, *Hypnotherapie en de overgang als natuurlijke fase,* afstudeerscriptie in het kader van de driejarige opleiding Reïncarnatie en Hypnotherapie aan het Atma-instituut in Amersfoort, 2004

Kasteren, Yvonne Maria van, *Premature ovarian failure*, therapeutical and actiological aspect, academisch proefschrift, uitgave Thesis, 1999

Noten, Karl, *Fitness voor senioren*, A.W. Bruna Uitgevers b.v., 2001

Schiff, Isaac en Ann B. Parson, *Menopauze*, Het Spectrum, 1998

Stoppard, Miriam, *Menopauze, de complete gids voor menopauze en overgang*, Unieboek, 2002

Strunz, Ulrich, *Forever young*, The House of Books, 2001

Weill, Andrew, *Gezond eten, gezond zijn*, Het Spectrum, 2000

VERDER LEZEN OVER DE OVERGANG

Dom, Georgie, *Greep op de overgang*, Consumentenbond, 2001

Dowling, Colette, *Midlife meiden, portretten van een vernieuwende generatie*, Forum, 1996

Greer, Germaine, *Overgang, over vrouwen en ouder worden*, Meulenhoff, 1992

Northrup, Christine, *De overgang als bron van kracht, nieuwe perspectieven en zingeving in de tweede levensfase*, Altamira-Becht, 2001

Register

Elke levensfase roept vragen op over de gezondheid. In dit boek probeert Cora de Vos daar een antwoord op te geven. De auteur gaat in op 1000 vragen die te maken hebben met de lichamelijke en geestelijke gezondheid van de mens, van baby's tot bejaarden. Ze behandelt onder meer zaken als zwangerschap, puberteitsproblemen, seksualiteit, gebitsverzorging, eerste hulp, migraine en ouderdomskwalen – kortom, alles waar u niet direct professionele hulp bij hoeft in te schakelen. En omdat voorkomen beter is dan genezen, besteedt de auteur ook veel aandacht aan juiste voeding en gezonde leefwijzen.

Tevens gaat Cora de Vos uitgebreid in op alternatieve geneeswijzen. Daartoe worden enkele honderden methoden gerekend, waar vaak nog veel onduidelijkheden over zijn.

1000 vragen over de gezondheid is een toegankelijk, compleet en helder geschreven boek om altijd binnen handbereik te hebben.

Cora de Vos
1000 vragen over de gezondheid
ISBN 90 443 0785 1

Het opvoeden van kinderen is niet alleen een van de dankbaarste taken in het leven, maar ook één van de moeilijkste. Je kunt je nog zo goed voorbereiden op het ouderschap, in het leven van een kind doen zich altijd weer onverwachte gebeurtenissen voor waar je als ouder op moet inspelen. Dat vereist inlevingsvermogen, pedagogisch inzicht en inventiviteit. Ouders hoeven echter niet steeds het wiel uit te vinden, want veel problemen zijn al eeuwenoud.

Voor het boek dat u in handen heeft, verzamelden José Sagasser en Marga Schiet honderden praktische tips, handige weetjes en trucs die zichzelf in de opvoedpraktijk bewezen hebben. De realiteit mag dan altijd anders zijn dan u zich had voorgesteld, huilende baby's, moeilijke pubers en kinderziekten zijn van alle tijden en in dit boek kunt u lezen hoe andere ouders in vergelijkbare situaties hebben gehandeld en daar uw voordeel mee doen. *942 tips van ouders voor ouders* is een complete vraagbaak die u nog vaak ter hand zult nemen.

José Sagasser en Marga Schiet
942 tips van ouders voor ouders
ISBN 90 443 0929 3

Eenvoudiger dan het groene dieet van Christine Michon kan een dieet niet zijn. Gedurende zeven dagen eet je alleen maar groene groenten en fruit. In die week neemt het lichaam meer zuurstof op dan anders, waardoor je je fitter gaat voelen. Mensen met problemen aan de luchtwegen, reumatische klachten of chronische moeheid hebben veel baat bij dit dieet.

Het groene dieet is ontwikkeld om veilig te ontgiften en indien gewenst af te vallen. Om het effect te versterken en om het ontgiften te bespoedigen, wordt aangeraden dit dieet te combineren met Kundalini yogaoefeningen en meditaties, die ook in dit boek staan en makkelijk uit te voeren zijn aan de hand van duidelijke illustraties. De helende meditaties dragen bij aan het kwijtraken van geestelijk 'overgewicht', denkbalast.

Het groene dieet kan ingepast worden in een normale werkdag en werkt het best wanneer dagelijks voldoende tijd genomen wordt voor oefeningen en ontspanning. Succes verzekerd!

Christine Michon (Hariang Kaur)
Groen en gezond
ISBN 90 443 0494 1